어휘목록

KB052854

복습할 때 활용하세요.

각 장을 공부한 후 아직 알쏭달쏭한 어휘의 □ 안에 ✔표 하세요.
해당 쪽수로 돌아가서 어휘를 다시 한번 꼼꼼히 공부하여 확실하게 익혀 봅시다.

6장

7장

8장

초등국어 어휘력 향상을 위한

어휘왕

4-1

이룸이앤비
Education & Books

어휘력이 성장하는 빅뱅 시기, 초등 6년!

어느 언어학자의 연구 결과에 따르면,

학생들의 키는 보통 사춘기에 폭풍 성장하는데,

어휘력은 그보다 더 이른 초등 시기에 폭발적으로 늘어난다고 합니다.

보통 초등학교에 입학하기 전 아이들의 어휘력 수준은

약 5,000 단어를 아는 데 불과합니다.

그런데 **초등학교 6년의 과정을 거치면서 약 40,000 단어 이상을 습득하게 됩니다.**

초등 시기에 매년 6,000 단어 이상의 새로운 어휘를 습득하게 되는 셈입니다.

매우 놀라운 사실은 일반 사람들이 원만한 사회생활을 하는 데

필요한 어휘의 85%를 바로 초등 시기에 익히게 된다는 점입니다.

그래서 **초등학생 때를 "어휘의 빅뱅* 시기"**라고 부르기도 합니다.

(빅뱅이라는 말은 우주가 어느 날 폭발적으로 팽창하면서 커지게 되었다는 학설입니다.)

이러한 빅뱅 시기에 어휘 학습을 제대로 해 놓아야 그 효과를 톡톡히 볼 수 있겠지요?

혹여나 '어휘 학습은 그냥 국어 공부잖아, 다음에 봐서 학원에 보내면 되겠지.'

라고 생각하면 큰 오산입니다.

어휘의 빅뱅 시기를 너무 안일하게 생각하면 때는 늦습니다.

공부가 때가 있다는 말들을 하지요?

이는 뇌 구조상 쉽게 기억되고 받아들이는 때가 있다는 말입니다.

많은 양을 공부할 필요는 없습니다.

하루에 20~25개 정도의 어휘만 꾸준히 학습하면 됩니다.

'초등국어 어휘왕'은 바로 어휘의 빅뱅 시기를 맞이한 초등학생 여러분의 어휘력을

성장시켜 줄 좋은 친구가 될 것입니다.

초등국어 어휘왕의 특장점은?

1 교과서에 나오는 주요 어휘를 학습할 수 있습니다.

초등 교과서에만 약 3만 개가 넘는 어휘가 수록되어 있어요. 교과서는 학생에게 가장 유익하고 체계적인 학습 교재라는 점을 고려해 볼 때, 초등 교과서로 어휘 학습을 시작하는 것은 매우 합리적인 방법이라고 할 수 있습니다. '초등국어 어휘왕'은 초등학교 교과서에 수록된 어휘들을 단원별로 정리하여 문제로 제시하고 있어요.

2 적절한 분량으로 학습 스케줄을 짤 수 있습니다.

초등학생이 집중해서 학습할 수 있는 시간은 약 20~30분 정도예요. 너무 많은 양을 한꺼번에 학습하려다 보면 부담을 느낄 수 있어요. '초등국어 어휘왕'은 단원별 어휘들을 조금씩 꾸준히 학습할 수 있도록 학습 일차를 구분해 두었어요.

3 다양한 유형의 문제로 재미있게 어휘를 익힐 수 있습니다.

어휘를 단순히 암기하는 방식은 학습 효율 면에서 좋지 않습니다. '초등국어 어휘왕'은 문제를 통해 자연스럽게 어휘의 의미를 익힐 수 있도록 하였어요. 또한 반복되는 지루한 학습 패턴이 아닌, 여러 가지 다양한 유형을 통해 학습할 수 있도록 구성하고 있어요.

4 부모님이 자녀를 지도할 수 있는 자료로 활용할 수 있습니다.

풍부한 어휘력을 갖추려면, 꾸준한 학습과 노력이 뒤따라야 합니다. 학생이 꾸준하게 어휘를 공부할 수 있도록 하는 데에는 부모님의 역할이 매우 중요합니다. '초등국어 어휘왕'은 이러한 고민을 바탕으로, 다양한 놀이 형태의 문제들을 학생과 부모가 함께 해 나갈 수 있도록 만들었습니다. 부모님은 해설집을 통해 부분적으로 필요한 내용들을 지도 자료로 활용할 수 있습니다.

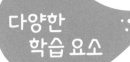

초등국어 어휘왕, 재밌고 다양한 문제로 공부해요.

1 ▶ 새로운 어휘 학습

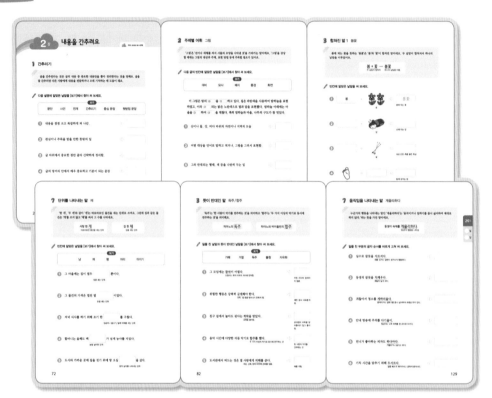

〈단원별 주요 어휘〉, 〈주제별 어휘〉, 〈합쳐진 말〉, 〈태도·동작을 나타내는 말〉, 〈꾸며주는 말〉, 〈소리나 모양을 흉내 내는 말〉, 〈단위를 나타내는 말〉, 〈바꿔 쓸 수 있는 말〉, 〈뜻이 반대인 말〉 등의 새롭고 낯선 어휘들을 학습해 보세요.

2 ▶ 기초 맞춤법

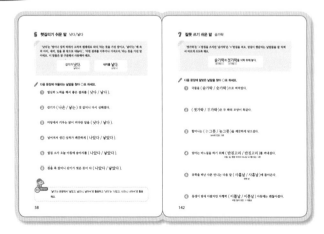

〈잘못 쓰기 쉬운 말〉, 〈헷갈리기 쉬운 말〉, 〈문장 부호〉 등의 맞춤법에 관련된 올바른 표현을 익혀 보세요.

3 띄어쓰기 / 원고지 쓰기

〈띄어쓰기〉를 포함하여 〈원고지 쓰기〉 등의 실제 글 쓰는 방식 등을 점검해 보세요.

4 올바른 발음

표준 발음법에 따른 〈올바른 발음〉에 대해 학습해 보세요.

5 문장 표현

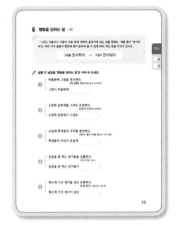

〈높임 표현〉, 〈시간 표현〉, 〈부정 표현〉, 〈행동을 하게 하는 말〉, 〈행동을 당하는 말〉 등 기초적인 문법 지식을 배워 보세요.

6 타교과 어휘

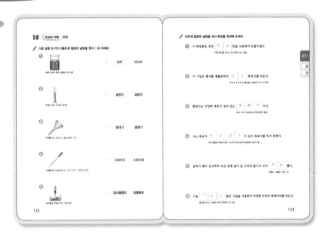

각 학기의 [사회], [과학], [도덕], [수학]의 교과서에 나오는 주요 어휘들을 공부해 보세요.

7 어휘력을 높이는 확인 학습

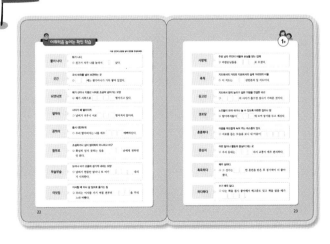

앞에서 공부한 어휘들을 다시 한번 확인해 보면서 확실한 어휘 학습이 되었는지 점검해 보세요.

이 책의 차례

계획에 따라 차근차근 공부해요.

학생 지도 방안

학생들의 학습을 도와주세요!

기본 학습

일차별로 꾸준하게 공부하게 합니다.

학습 스케줄에 따라 하루에
25~30개의 정도의 낱말을 꾸준하게
공부할 수 있도록
지도하는 것이 좋습니다.

20~30분 집중하여 학습하게 합니다.

시간을 정해 두고
한 번에 집중해서 학습하도록
하는 것이 바람직합니다.

점검 학습

단원별로 공부한 어휘를 점검하게 합니다.

3일차 학습이 끝나는 대로 10분 정도의
시간을 별도로 할애하여 '어휘력을 높이는
확인 학습' 코너를 활용하여 주요 어휘들을
숙지하였는지 확인해야 합니다.

모바일 앱을 통해 학습한 내용을 복습하게 합니다.

본 교재는 모바일에서 '초등국어 어휘왕' 앱을
제공합니다. 이를 다운 받아, 하루에 학습한
낱말을 복습할 수 있도록
지도할 수도 있습니다.

도움 학습

궁금해할 만한 내용은 해설을 보고 직접 설명해 줍니다.

'정답 및 해설'에 알아 두면
유익한 내용들을 이해하기 쉽도록
별도로 설명해 두었습니다.
이를 학생에게 설명하여 이해를
돕는 것이 중요합니다.

1 모양을 흉내 내는 말 뉘엿뉘엿

'뉘엿뉘엿'은 '해가 산이나 지평선 너머로 조금씩 넘어가는 모양'을 흉내 내는 말이에요. 흉내 내는 말을 사용하면 느낌을 생생하게 표현할 수 있어요.

해가 뉘엿뉘엿 지고 있다.
해가 산이나 지평선 너머로 조금씩 넘어가는 모양

밑줄 친 부분의 글자 순서를 바르게 고쳐 써 보세요.

① 창밖에는 비가 <u>부슬슬부</u> 내린다.
눈이나 비가 조용히 성기게 내리는 모양
➡

② 늦잠을 자서 학교로 <u>헐벌떡레</u> 뛰어갔다.
숨을 가쁘고 거칠게 몰아쉬는 모양
➡

③ 해가 서쪽으로 <u>뉘뉘엿엿</u> 넘어가고 있다.
해가 산이나 지평선 너머로 조금씩 넘어가는 모양
➡

④ 아기가 엄마를 보고 사랑스럽게 <u>실방실방</u> 웃는다.
자꾸 소리 없이 밝고 보드랍게 웃는 모양
➡

⑤ 내 물음에 영희는 대답 없이 고개만 <u>끄덕끄덕</u> 하였다.
머리를 가볍게 아래위로 자꾸 움직이는 모양
➡

⑥ 토끼 두 마리가 풀밭에서 <u>깡깡충충</u> 뛰어다니고 있다.
짧은 다리를 모으고 자꾸 힘 있게 뛰는 모양
➡

10

2 주제별 어휘 장소

'장소'는 '어떤 일이 이루어지거나 일어나는 곳'을 가리키는 말이에요. 우리는 집과 학교 등의 장소에서 생활을 하고 있지요.

✏️ 빈칸에 알맞은 낱말을 [보기]에서 찾아 써 보세요.

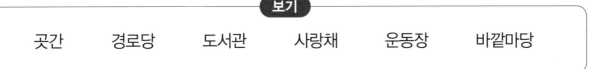

보기

곳간　　경로당　　도서관　　사랑채　　운동장　　바깥마당

1 아버지는 집에 오신 손님을 [　　　　　]로 모셨다.
주로 남자 주인이 머물며 손님을 맞는 집채

2 나는 주말마다 언니와 함께 [　　　　　]에 가서 책을 읽는다.
책과 자료를 모아 두고 사람들이 볼 수 있도록 한 시설

3 할머니 댁 [　　　　　]에서는 집 안이 환하게 들여다보인다.
대문 밖에 있는 마당

4 할머니께서는 매일 [　　　　　]에 나가 친구분들과 어울리신다.
노인들이 모여 쉬거나 놀 수 있도록 마련한 집이나 방

5 마음씨 좋은 부자가 [　　　　　]을 열어 어려운 사람을 도와주었다.
곡식 따위를 넣어 보관하는 곳

6 비가 와서 체육 수업을 [　　　　　]에서 하지 못하고 체육관에서 했다.
운동 경기, 놀이 따위를 할 수 있는 넓은 마당

3 꾸며 주는 말 함부로

'함부로'는 '조심하거나 깊이 생각하지 아니하고 마구'라는 뜻을 가진 말이에요. 이와 같은 말은 다른 말이나 문장을 꾸며 주는 말로 쓰여요.

함부로 행동해서는 안 된다.
꾸며 줌.

🖊 빈칸에 알맞은 낱말을 [보기]에서 찾아 써 보세요.

보기

| 아마 | 아주 | 아무리 | 어느새 | 함부로 |

❶ 허락도 없이 남의 물건에 [   ] 손을 대면 안 된다.
조심하거나 깊이 생각하지 아니하고 마구

❷ 어젯밤부터 세차게 내리던 비는 [   ] 그쳐 있었다.
어느 틈에 벌써

❸ 우리 언니는 음악에 소질이 있어 노래를 [   ] 잘 부른다.
보통 정도보다 훨씬 더 넘어선 상태로

❹ 네가 [   ] 장난감을 사 달라고 떼를 써 봐도 소용이 없다.
정도가 매우 심함을 나타내는 말

❺ 지난달에 전학을 간 영인이는 [   ] 새 학교에 잘 적응했을 것이다.
미루어 생각할 때 그럴 가능성이 크다는 뜻을 나타내는 말

4 바꿔 쓸 수 있는 말 훈훈하다

'훈훈하다'는 '마음을 부드럽게 녹여 주는 따스함이 있다.'라는 뜻을 가진 말로 '따뜻하다'와 비슷한 의미를 가지고 있어요.

그의 마음이 [훈훈하다 / 따뜻하다].
바꿔 쓸 수 있음.

밑줄 친 낱말과 바꿔 쓸 수 있는 낱말을 [보기]에서 찾아 써 보세요.

보기

답답하다   씩씩하다   혹독하다   불만스럽다   수두룩하다

① 평소와는 다르게 선생님의 꾸지람이 호되다.
매우 심하다.

② 우리 반에는 수학을 잘하는 친구가 허다하다.
수가 매우 많다.

③ 나는 그들이 서로 귓속말을 하는 것이 못마땅하다.
마음에 들지 않아 좋지 않다.

④ 이번 시합에서 우리가 우승하지 못한 것이 안타깝다.
뜻대로 되지 아니하거나
보기 딱하여 가슴 아프다.

⑤ 망설임 없이 무서운 놀이 기구를 타는 그는 참 용감하다.
용기가 있고 기운차다.

5 수를 나타내는 말 열

수를 나타내는 말은 한자어로 된 말과 고유어로 된 말이 있어요. 숫자 '10'은 한자어로는 '십(十)'이라 쓰고 고유어로는 '열'이라고 써요.

🖉 주어진 한자어와 같은 수를 나타내는 고유어를 낱말 카드에서 찾아 써 보세요.

쉰	열	마흔	서른	스물	아흔	여든	예순	일흔

1 십(十) 열   **2** 이십(二十)

3 삼십(三十)   **4** 사십(四十)

5 오십(五十)   **6** 육십(六十)

7 칠십(七十)   **8** 팔십(八十)

9 구십(九十)

6 자주 쓰는 말 목숨을 바치다

'목숨을 바치다'라는 말은 '목숨을 내놓다.'라는 말로 이해할 수 있어요. 그런데 이와 같은 말은 원래의 뜻 외에도 '생명을 걸고 일하다.'라는 새로운 뜻으로 쓰이기도 해요.

가족을 위해 목숨을 바치다.
생명을 걸고 일하다.

✏️ 빈칸에 알맞은 말을 [보기]에서 찾아 써 보세요.

보기

귀가 밝다   눈에 띄다   뿔이 나다   의심이 나다   마음에 들다   목숨을 바치다

1 주인을 위해 평생 동안 [   ].
생명을 걸고 일하다.

2 친구가 자꾸만 나를 놀려서 [   ].
화가 나다.

3 생일 선물로 받은 자전거가 [   ].
마음이나 감정에 좋게 여겨지다.

4 이상한 옷차림을 한 범인이 [   ].
두드러지게 드러나다.

5 그 어려운 숙제를 정말 혼자 다 했는지 [   ].
믿지 못하거나 의아하게 여겨지다.

6 수정이는 뉴스를 자주 봐서인지 여러 정보에 [   ].
소식에 빠르고 훤히 알다.

15

7 합쳐진 말 1 콧노래

두 낱말이 합쳐져서 새로운 낱말이 될 때 두 낱말 사이에 'ㅅ'이 덧붙기도 해요. '코로 부르는 노래'를 뜻하는 콧노래는 '코'와 '노래'가 합쳐질 때 'ㅅ'이 덧붙었어요.

코 + 노래 → 콧노래
두 낱말이 합쳐질 때 'ㅅ'이 덧붙음.

✎ 빈칸에 알맞은 낱말을 써 보세요.

1 코로 부르는 노래 코 + 노래 ⇨ 콧노래

2 해의 빛 ☐ + 빛 ⇨ ☐

3 나무의 잎 나무 + ☐ ⇨ ☐

4 아래쪽에 있는 마을 아래 + ☐ ⇨ ☐

5 이사할 때 이사 갈 집으로 옮기는 짐 ☐ + 짐 ⇨ ☐

6 머리의 속이나 생각 속 ☐ + 속 ⇨ ☐

합쳐진 말 2 얻어먹다

'얻어먹다'는 '얻다'와 '먹다' 합쳐진 말이에요. 낱말과 낱말이 합쳐져서 하나의 낱말이 될 때에 앞말의 '-다'가 '-어'나 '-아'로 바뀌어요.

얻다 + 먹다 → 얻어먹다
두 낱말이 합쳐질 때   '-어'로 바뀜.

✏️ 밑줄 친 부분을 하나의 낱말로 만들어 써 보세요.

1 닭을 우리 안에 집다+넣다.
어떤 공간에 들어가게 하다.
⇨ [   ]

2 친구에게 점심을 얻다+먹다.
남이 사 주는 음식을 먹다.
⇨ [   ]

3 강아지가 마당을 뛰다+다니다.
여기저기로 뛰면서 돌아다니다.
⇨ [   ]

4 병원비를 대기 위해 집을 팔다+넘기다.
값을 받고 어떤 물건을
다른 사람에게 넘겨주다.
⇨ [   ]

5 친구가 책을 빌리기 위해 나를 찾다+오다.
사람을 만나거나 어떤
일을 하러 오다.
⇨ [   ]

6 병원에 입원했던 친구가 학교로 돌다+오다.
원래 있던 곳으로 다시 오다.
⇨ [   ]

9 잘못 쓰기 쉬운 말 1 얌전히

'성품이나 태도가 침착하고 단정하게'를 뜻하는 말은 '얌전이'가 아니라 '얌전히'예요. '이'로 쓰는 낱말과 '히'로 쓰는 낱말을 구분할 수 있어야 해요.

> **얌전히** 앉아 있다.
> 얌전이(×)

✏️ 다음 문장에 알맞은 낱말을 찾아 ○표 하세요.

1 강아지가 나를 (멀찍이 / 멀찍히) 따라왔다.
사이가 꽤 떨어지게

2 그는 자신의 동생을 (소중이 / 소중히) 생각한다.
매우 귀중하게

3 할아버지는 나를 (끔찍이 / 끔찍히) 귀여워하신다.
몹시 대단하게

4 나는 엄마가 올 때까지 (얌전이 / 얌전히) 기다렸다.
성격이나 태도가 조용하고 차분하게

5 외출하기 전에 문단속을 (단단이 / 단단히) 해야 한다.
확실하고 제대로

6 냉장고에 여러 종류의 과일이 (빼곡이 / 빼꼭히) 들어 있다.
사람이나 물건이 어떤 공간에 빈틈없이 꽉 차게

10 잘못 쓰기 쉬운 말 2 갈게

'갈게'는 [갈께]로, '일어날걸'은 [이러날껄]로 소리 나지만 소리 나는 대로 쓰지 않아요. 그러나 '먹을까'와 '늦을꼬'와 같이 묻는 말은 소리 나는 대로 쓰지요.

학교로 **갈게**.
갈께(×)

우리 피자 **먹을까**? → 묻는 말
먹을가(×)

✏️ 다음 문장에 알맞은 표현을 찾아 ○표 하세요.

❶

여기는 내가 청소를 (할게 / 할께).

❷

우리 주말에 놀이공원에 (갈가 / 갈까)?

❸

너도 함께 갔으면 (좋았을걸 / 좋았을껄).

❹

방이 왜 이리 (지저분할고 / 지저분할꼬)?

(타교과 어휘) 사회

✏ 빈칸에 알맞은 낱말을 [보기]에서 찾아 써 보세요.

보기

방위   범례   축척   등고선   안내도   중심지

① [   ] 에 따라 지도의 자세한 정도가 달라진다.
지도에서의 거리와 지표에서의 실제 거리와의 비율

② 지도에서 [   ] 을 보면 땅의 높이를 알 수 있다.
지도에서 땅의 높이가 같은 지점을 연결한 곡선

③ [   ] 를 활용하면 지도를 이해하는 데 도움이 된다.
지도에 쓰인 기호와 그 뜻

④ 이곳은 교통이 매우 편리해서 지역의 [   ] 가 되었다.
어떤 일이나 활동의 중심이 되는 곳

⑤ 산에서 길을 잃고 나침반의 [   ] 를 살펴서 길을 찾았다.
동서남북을 기준으로 정한 방향

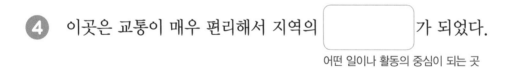

⑥ 우리는 어떤 순서로 여행할지 관광 [   ] 를 보고 계획을 세웠다.
안내하는 내용을 그린 그림

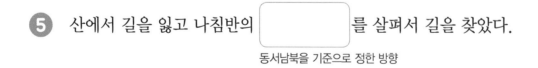

밑줄 친 낱말에 알맞은 뜻을 찾아 연결하세요.

1 우리 모둠은 시장으로 답사를 갔다.

보통의 것과 다른 점

2 고장마다 저마다 고유한 특색이 있다.

현장에 가서 직접 보고 조사함.

3 방학 때마다 우리 가족은 휴양림을 찾는다.

편안히 쉬면서 피로를 풀 수 있도록 만든 숲

4 행정의 중심지에는 지역의 사람들이 여러 일을 처리하려고 모인다.

생활에 필요한 물건이나 서비스를 만들어 내는 일

5 상업의 중심지에는 지억의 사람들이 필요한 물건을 사려고 모인다.

규정이나 규칙에 따라 공적인 일들을 처리하는 것

6 산업의 중심지에는 물건을 만드는 회사나 공장에서 일하려고 사람들이 모인다.

상품을 사고파는 행위를 통하여 이익을 얻는 일

21

다음 빈칸에 낱말을 넣어 문장을 완성하세요.

뿔이 나다

화가 나다.
예) 친구가 자꾸 나를 놀려서 ⬜⬜ 났다.

곳간

곡식 따위를 넣어 보관하는 곳
예) ⬜⬜에는 쌀가마니가 가득 쌓여 있었다.

뉘엿뉘엿

해가 산이나 지평선 너머로 조금씩 넘어가는 모양
예) 해가 서쪽으로 ⬜⬜⬜⬜ 떨어지고 있다.

멀찍이

사이가 꽤 떨어지게
예) 날씨가 더우니 서로 ⬜⬜⬜ 떨어져서 앉아라.

끔찍이

몹시 대단하게
예) 우리 할아버지는 나를 매우 ⬜⬜⬜ 예뻐하신다.

함부로

조심하거나 깊이 생각하지 아니하고 마구
예) 확실히 알지 못하는 일을 ⬜⬜⬜ 남에게 전하면 안 된다.

부슬부슬

눈이나 비가 조용히 성기게 내리는 모양
예) 날씨가 한동안 맑더니 또 비가 ⬜⬜⬜⬜ 내리기 시작한다.

이삿짐

이사할 때 이사 갈 집으로 옮기는 짐
예) 우리는 이사를 가기 며칠 전부터 ⬜⬜⬜을 꾸리느라 바빴다.

사랑채	주로 남자 주인이 머물며 손님을 맞는 집채
	예 바깥손님들을 ☐☐☐로 모셨다.

축척	지도에서의 거리와 지표에서의 실제 거리와의 비율
	예 이 지도는 ☐☐ 삼만분의 일 지도이다.

등고선	지도에서 땅의 높이가 같은 지점을 연결한 곡선
	예 ☐☐☐의 사이가 좁으면 경사가 가파른 것이다.

경로당	노인들이 모여 쉬거나 놀 수 있도록 마련한 집이나 방
	예 할아버지들이 ☐☐☐에 모여 장기를 두고 계신다.

훈훈하다	마음을 부드럽게 녹여 주는 따스함이 있다.
	예 서로를 돕는 모습을 보니 내 마음이 ☐☐☐☐.

중심지	어떤 일이나 활동의 중심이 되는 곳
	예 우리 동네는 ☐☐☐라서 교통이 매우 편리하다.

혹독하다	매우 심하다.
	예 그 선수는 ☐☐한 훈련을 받은 후 경기력이 더 좋아졌다.

허다하다	수가 매우 많다.
	예 나는 책을 몹시 좋아해서 배고픔도 잊고 책을 읽을 때가 ☐☐☐☐.

2장 내용을 간추려요

1 간추리기

글을 간추린다는 것은 글의 내용 중 중요한 내용만을 뽑아 정리한다는 것을 말해요. 글을 잘 간추리면 다른 사람에게 내용을 전달하거나 오래 기억하는 데 도움이 돼요.

다음 설명에 알맞은 낱말을 [보기]에서 찾아 써 보세요.

보기

| 문단 | 사건 | 전개 | 간추리기 | 중심 문장 | 뒷받침 문장 |

❶ 내용을 점점 크고 복잡하게 펴 나감. ⇨ [   ]

❷ 관심이나 주목을 받을 만한 뜻밖의 일 ⇨ [   ]

❸ 글 따위에서 중요한 점만 골라 간략하게 정리함. ⇨ [   ]

❹ 글의 덩어리 안에서 매우 중요하고 기본이 되는 문장 ⇨ [   ]

❺ 글의 덩어리 안에서 중심 문장을 자세히 설명해 주는 문장 ⇨ [   ]

❻ 몇 개의 문장이 모여 하나의 중심 생각을 나타내는 글의 부분 ⇨ [   ]

2 주제별 어휘 날씨

일기 예보를 보면 날씨에 관한 많은 정보를 알 수 있어요. 그 정보들을 잘 이해하기 위해서는 날씨에 관한 기본적인 표현들을 익혀 둘 필요가 있지요.

✎ 상자 안의 낱말들을 비슷한 것끼리 나누어 써 보세요.

따스하다　　　　　　　뜨듯하다
　　　　　　　　　　　　　　싸늘하다
　　　　차다
　　　　　　　　　　온난하다
냉랭하다

따뜻하다	쌀쌀하다

✎ 빈칸에 알맞은 낱말을 써서 문장을 완성해 보세요.

❶ 오늘은 구름도 한 점 없이 하늘이 ㅁ ㄷ .

구름이나 안개가 끼지 아니하여 햇빛이 밝다.

❷ 요즘은 ㅇ ㄱ ㅊ 가 심하니까 감기를 조심해야 한다.

기온, 습도, 기압 따위가 하루 동안에 변화하는 차이

❸ 내일은 ㄱ ㅇ 이 더 내려가니 옷차림을 따뜻하게 하세요.

공기의 온도

3 합쳐진 말 1 봄꽃

봄에 피는 꽃을 뜻하는 '봄꽃'은 '봄'과 '꽃'이 합쳐진 말이에요. 두 낱말이 합쳐져서 하나의 낱말을 이루었어요.

봄 + 꽃 → 봄꽃
두 낱말이 합쳐져   하나의 낱말을 이룸.

🖊 빈칸에 알맞은 낱말을 써 보세요.

1 봄 + 꽃 ⇨ 봄꽃
봄에 피는 꽃

2 ☐ + 잠 ⇨ ☐
낮에 자는 잠

3 ☐ + 살 ⇨ ☐
쇠로 만든 촉을 꽂은 화살

4 발 + ☐ ⇨ ☐
발에 생기는 병

5 ☐ + 옷 ⇨ ☐
비단으로 지은 옷

26

4 합쳐진 말 2 부잣집

'부잣집'은 '부자'와 '집'이 합쳐진 말이에요. 이처럼 낱말과 낱말이 합쳐져서 하나의 낱말이 될 때에 앞 낱말이 모음으로 끝나면 'ㅅ'이 덧붙기도 하지요.

모음으로 끝남.
부자 + 집 → 부잣집
두 낱말이 합쳐짐.   'ㅅ'이 생김.

✏️ 빈칸에 알맞은 낱말을 써 보세요.

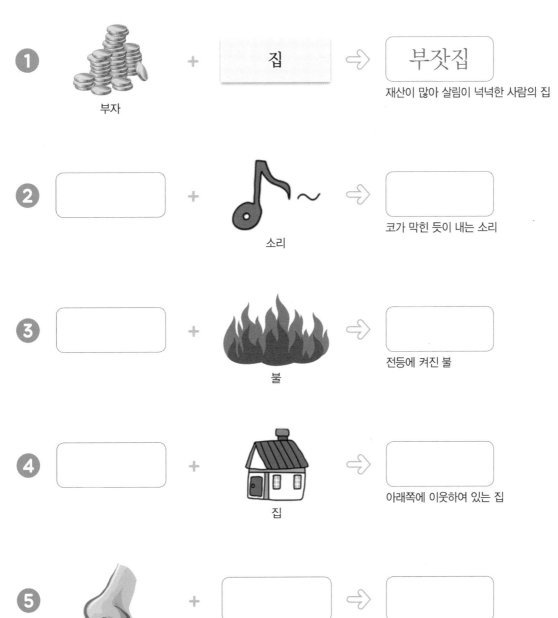

❶ [부자 그림] + 집 ➡ 부잣집
부자   재산이 많아 살림이 넉넉한 사람의 집

❷ ☐ + [소리 그림] ➡ ☐
소리   코가 막힌 듯이 내는 소리

❸ ☐ + [불 그림] ➡ ☐
불   전등에 켜진 불

❹ ☐ + [집 그림] ➡ ☐
집   아래쪽에 이웃하여 있는 집

❺ [코 그림] + ☐ ➡ ☐
코   코끝에서 두 눈 사이까지의 오똑한 선

5 모양을 흉내 내는 말 버럭버럭

'버럭버럭'은 불쾌하여 화를 내거나 소리를 지르는 모양을 흉내 낸 말이에요. 이 말을 통해 화를 내는 구체적인 모습을 상상해 볼 수 있지요.

✏️ 빈칸에 알맞은 낱말을 [보기]에서 찾아 써 보세요.

보기

부스스　　뒹굴뒹굴　　버럭버럭　　부글부글　　오들오들　　팔딱팔딱

1 아기가 잠에서 깨어나 [   ] 눈을 떴다.
누웠거나 앉았다가 느리게 슬그머니 일어나는 모양

2 할아버지는 작은 일에도 [   ] 화를 냈다.
불쾌하여 자꾸 화를 내거나 소리를 지르는 모양

3 그는 [   ] 뛰면서 상대방을 가로막고 나섰다.
성이 나서 참지 못하고 팔팔 뛰는 모양

4 떨어뜨린 사과가 버스의 앞쪽까지 [   ] 굴러갔다.
누워서 자꾸 이리저리 구르는 모양

5 추운 날씨에 한 아이가 길거리에서 [   ] 떨고 있다.
춥거나 무서워서 몸을 계속해서 떠는 모양

6 그녀는 [   ] 끓어오르는 화를 참으며 말을 시작했다.
언짢은 생각이 뒤섞여 자꾸 마음이 어지럽고 불편한 모양

6 올바른 발음 볕[변]

반침이 자기의 소리가 아닌 다른 소리로 발음되는 경우가 있어요. '볕'은 [변]으로 '갓바치'는 [갇빠치]로 발음되지요.

✏️ **주어진 낱말의 알맞은 발음을 찾아 ○표 하세요.**

1 갓바치 ⇨ [갇빠치] [갇빠치] [가빠치]

예전에, 가죽신을 만드는 일을 직업으로 하던 사람

2 꽃신 ⇨ [꼳씬] [끋씬] [꽏씬]

3 볕 ⇨ [변] [볍] [볏]

4 삿갓 ⇨ [사깐] [삳깐] [삳깐]

비나 햇볕을 막기 위하여 대나 갈대로 엮어서 만들어 머리에 쓰는 물건

5 있다 ⇨ [이따] [잇따] [읻따]

6 히읗 ⇨ [히응] [히읕] [히은]

더 알아두기

받침 'ㅅ, ㅆ, ㅈ, ㅊ, ㅌ, ㅎ'은 낱말의 끝 또는 자음 앞에서 'ㄷ'으로 발음돼요. '볕'은 [변]으로 '갓바치'는 [갇빠치]로 발음되는 것처럼 말이에요.

7 잘못 쓰기 쉬운 말 1 가지런히

'들쭉날쭉하지 않고 고르게'를 뜻하는 말은 '가지런이'가 아니라 '가지런히'라고 써야 해요.
'이'로 써야 하는지 '히'로 써야 하는지 정확하게 익혀 두도록 해요.

> ### 신발을 **가지런히** 정리했다.
> 가지런이(×)

✏️ 다음 문장에 알맞은 낱말을 찾아 ○표 하세요.

1 엄마는 (빙긋이 / 빙긋히) 웃으며 나를 안아 주었다.
입을 슬쩍 벌릴 듯하면서 소리 없이 가볍게 한 번 웃는 모양

2 꿈을 이루기 위해 (열심이 / 열심히) 공부해야 한다.
어떤 일에 온 정성을 다하여

3 책상을 (깨끗이 / 깨끗히) 정리하니 마음이 상쾌하다.
가지런히 잘 정돈되어 말끔하게

4 문이 열리자 아기가 (빼꼼이 / 빼꼼히) 얼굴을 내밀었다.
작은 구멍이나 틈 사이로 아주 조금만 보이는 모양

5 그는 반장으로서 (당연이 / 당연히) 해야 할 일을 했을 뿐이다.
이치로 보아 마땅히 그러하게

6 나는 현관에 있는 신발들을 (가지런이 / 가지런히) 정리해 두었다.
들쭉날쭉하지 않고 고르게

8 잘못 쓰기 쉬운 말 2 꿰매다

'옷 따위의 해지거나 뚫어진 데를 바늘로 깁거나 얽어매다.'를 나타내는 말은 '꿰매다'예요.
이를 '꿰메다'로 잘못 쓰지 않도록 주의해야 해요.

> 해진 옷을 **꿰매다**.
> 꿰메다(×)

✏️ 밑줄 친 낱말을 알맞게 고쳐 써 보세요.

1 떨어진 양말을 <u>꿰메다</u>.
　　　　　　 옷 따위를 바늘로 깁거나 얽어매다.

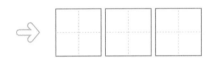

2 오빠는 성격이 정말 <u>새심하다</u>.
　　　　　　　　　 작은 일에도 꼼꼼하여 빈틈이 없다.

3 내 동생은 피부가 아주 <u>메끄럽다</u>.
　　　　　　　　　　 저절로 밀리어 나갈 정도로 반드럽다.

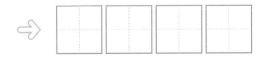

4 다른 사람의 마음을 잘 <u>해아리다</u>.
　　　　　　　　　　 짐작하여 미루어 생각하다.

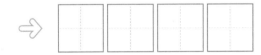

5 많은 사람들 앞에 서자 얼굴이 <u>빨게지다</u>.
　　　　　　　　　　　　　 빨갛게 되다.

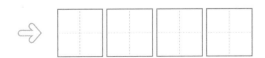

9 뜻이 반대인 말 낭비하다/절약하다

'낭비하다'는 '시간이나 재물 따위를 함부로 쓰다.'라는 말이고, '절약하다'는 '함부로 쓰지 아니하고 꼭 필요한 데에만 써서 아끼다.'라는 말이에요.

물을 **낭비하다**. ⇄ 물을 **절약하다**.
함부로 쓰다.   꼭 필요한 데에만 쓰다.

🖊 밑줄 친 낱말과 뜻이 반대인 낱말을 써 보세요.

1 날씨에 비해 입은 옷이 <u>얇다</u>.

⇨ | ㄷ | ㄲ | 다 |

두께가 보통의 정도보다 크다.

2 소중한 시간을 <u>낭비하다</u>.

⇨ | ㅈ | ㅇ | 하 | 다 |

함부로 쓰지 아니하고 꼭 필요한 데에만 써서 아끼다.

3 자동차 부품을 <u>수출하다</u>.

⇨ | ㅅ | ㅇ | 하 | 다 |

다른 나라로부터 상품이나 기술 따위를 국내로 사들이다.

4 여행에서 돌아오니 마음이 <u>편안하다</u>.

⇨ | ㅂ | ㅇ | 하 | 다 |

마음이 편하지 않고 조마조마하다.

5 다른 사람의 도움이 <u>필요히디</u>.

⇨ | ㅂ | ㅍ | ㅇ | 하 | 다 |

필요하지 아니하다.

10 포함하는 말 옷감

'옷을 짓는 데 쓰는 천'을 뜻하는 '옷감'은 그 구체적인 종류를 나타내는 낱말인 '광목', '비단', '모시'를 포함한다고 할 수 있어요.

옷감			→ 포함하는 말
광목	비단	모시	→ 포함되는 말
솜에서 뽑아 짠 넓은 천		모시풀로 짠 여름 옷감	

✏️ 다음 표의 빈칸에 알맞은 낱말을 [보기]에서 찾아 써 보세요.

보기

신발   운혜   냉장고   발막신   세탁기   가전제품

1

포함하는
말

포함되는
말

태사혜

남자의 마른신

여자의 마른신

노인의 마른신

2

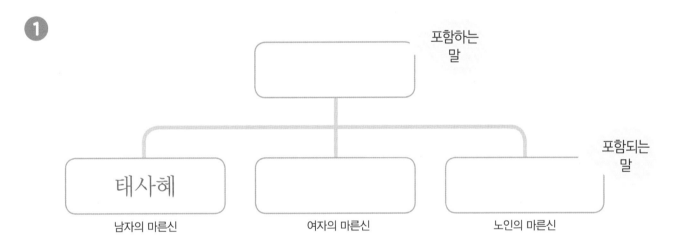

포함하는
말

포함되는
말

냉방기

실내의 온도를 낮추는 장치

식품 따위를 차게 보관하는 장치

빨래하는 기계

✎ 빈칸에 알맞은 낱말을 [보기]에서 찾아 써 보세요.

보기

분류   수집   유용   전시   추리   측정

1 관찰한 식물들을 모양에 따라 몇 종류로 [   ]했다.

종류에 따라서 가름.

2 대상을 [   ]할 때에는 알맞은 도구를 선택하여야 한다.

일정한 양을 기준으로 하여 같은 종류의 다른 양의 크기를 잼.

3 앞에 오는 숫자들을 보고 뒤에 어떤 숫자가 올지 [   ]했다.

알고 있는 것을 바탕으로 알지 못하는 것을
미루어서 생각함.

4 이 박물관에는 옛날 사람들이 입었던 옷이 [   ]되어 있다.

여러 가지 물품을 한곳에 차려 놓고 보임.

5 이 책은 설명이 쉽게 되어 있어 어린 학생들에게 [   ]하다.

쓸모가 있음.

6 이 미술관에는 아주 오래전부터 [   ]된 그림이 많이 있다.

취미나 연구를 위하여 여러 가지 물건이나 재료를 찾아 모음.

✏️ 밑줄 친 낱말에 알맞은 뜻을 찾아 연결하세요.

1 간장이 잘 <u>발효</u>되어 맛이 아주 좋다.

강물이나 바람이 흙, 모래, 자갈 따위를 옮겨 나름.

2 강물에 <u>운반</u>된 모래가 강 하류에 쌓였다.

효모나 세균 등이 음식물 등을 변화시키는 현상

3 이 지역의 <u>지층</u>은 계단 모양을 이루고 있다.

아주 옛날의 생물의 뼈나 몸의 흔적이 돌이 되어 남아 있는 것

4 이번 방학 숙제는 식물 <u>표본</u>을 만드는 것이다.

서로 다른 시기에 생겼거나 형태나 성분이 달라서 생긴 땅의 층

5 지난 주말, 박물관에 가서 여러 종류의 공룡 <u>화석</u>을 보았다.

땅속이나 큰 덩치의 흙, 놀 더미 따위에 묻혀 있는 것을 찾아서 파냄.

6 우리 지역에서 아주 오래 전에 만들어진 도자기가 <u>발굴</u>되었다.

생물을 연구에 쓰기 위해 특별한 방법으로 오래가도록 만든 것

35

다음 빈칸에 글자를 넣어 낱말을 완성하세요.

¹ 기 ☐ | 공기의 온도

² 아 ☐ 집 | 아래쪽에 이웃하여 있는 집

³ 전 ☐ | 내용을 점점 크고 복잡하게 펴 나감.

⁴ 사 ☐ | 관심이나 주목을 받을 만한 뜻밖의 일

⁵ ☐ 들 ☐ 들 | 춥거나 무서워서 몸을 계속해서 떠는 모양

⁶ 간 ☐ 리기 | 글 따위에서 중요한 점만 골라 간략하게 정리함.

⁷ 빼꼼 ☐ | 작은 구멍이나 틈 사이로 아주 조금만 보이는 모양

⁸ 일 ☐ 차 | 기온, 습도, 기압 따위가 하루 동안에 변화하는 차이

⁹ 중 ☐ 문장 | 글의 덩어리 안에서 매우 중요하고 기본이 되는 문장

¹⁰ 문 ☐ | 몇 개의 문장이 모여 하나의 중심 생각을 나타내는 글의 부분

정답 1. 온   2. 랫   3. 개   4. 건   5. 오, 오   6. 추   7. 히   8. 교   9. 심   10. 단

11 [ ] **필요하다** — 필요하지 아니하다.

12 [ ] **아리다** — 짐작하여 미루어 생각하다.

13 [ ] **껍다** — 두께가 보통의 정도보다 크다.

14 **세**[ ]**하다** — 작은 일에도 꼼꼼하여 빈틈이 없다.

15 **수**[ ]**하다** — 다른 나라로부터 상품이나 기술 따위를 국내로 사들이다.

16 **빙긋**[ ] — 입을 슬쩍 벌릴 듯하면서 소리 없이 가볍게 한 번 웃는 모양

17 **화**[ ] — 아주 옛날의 생물의 뼈나 몸의 흔적이 돌이 되어 남아 있는 것

18 **지**[ ] — 서로 다른 시기에 생겼거나 형태나 성분이 달라서 생긴 땅의 층

19 [ ]**본** — 생물을 연구에 쓰기 위해 특별한 방법으로 오래가도록 만든 것

20 [ ]**굴** — 땅속이나 큰 덩치의 흙, 돌 더미 따위에 묻혀 있는 것을 찾아서 파냄.

3장 느낌을 살려 말해요

 국어 교과서 88~113쪽

1 포함하는 말 금속

'열이나 전기가 잘 통하고 윤이 나는 물질을 통틀어 이르는 말'인 '금속'은 그 구체적인 종류를 나타내는 낱말인 '구리', '아연', '니켈' 따위를 포함한다고 할 수 있어요.

금속			→ 포함하는 말
구리	아연	니켈	→ 포함되는 말

다음 낱말들을 포함하는 낱말에 ○표 하세요.

① 괭이, 쟁기, 삽 ⇨ 농산물   농기구   가구

② 쌀, 보리, 콩, 조 ⇨ 과일   곡식   채소

③ 반지, 귀고리, 팔찌 ⇨ 그릇   가구   장신구

④ 구리, 아연, 알루미늄 ⇨ 금속   보석   종이

⑤ 호수, 뉴질랜드, 아프리카 ⇨ 국가   지구   바다

2 뜻을 더하는 말 -료

'-료'는 낱말의 뒤에 붙어 '이용한 요금'의 뜻을 더하는 말이에요.

| 이용 | + | -료 | → | 이용료 |
| 전기 | | | → | 전기료 |

🖉 주어진 뜻에 알맞은 낱말을 써 보세요.

❶ 전기를 사용한 요금　　　　　⇨ | ㅈ | ㄱ | 료 |

❷ 이용한 값으로 내는 요금　　　⇨ | ㅇ | ㅇ | 료 |

❸ 주차하는 대가로 내는 요금　　⇨ | ㅈ | ㅊ | 료 |

❹ 수업의 대가로 학생이 내는 돈　⇨ | ㅅ | ㅇ | 료 |

❺ 교통수단을 이용한 대가로 내는 요금　⇨ | ㄱ | ㅌ | 료 |

❻ 통신 시설을 이용하는 데에 내는 요금　⇨ | ㅌ | ㅅ | 료 |

3 감탄을 나타내는 말 오

우리말에는 '오', '앗' 등처럼 말하는 이의 본능적인 놀람이나 느낌, 부름, 응답 따위를 나타내는 말이 있어요.

> **오!** 꽃이 정말 예쁘다.
> 놀람, 느낌을 나타냄.

🖊 느낌, 부름, 응답 따위를 나타내는 낱말을 찾아 ○표 하세요.

1

앗! 깜짝이야.

2

어머, 이게 누구야?

3

오, 정말 귀엽다.

4

어이쿠! 벌써 시간이 이렇게 되었네.

40

4 주제별 어휘 웃음

웃음에는 다양한 종류가 있어요. '너털웃음'은 '크게 소리를 내어 시원하고 당당하게 웃는 웃음'을 뜻하고, '눈웃음'은 '소리 없이 눈으로만 가만히 웃는 웃음'을 뜻해요.

🖊 다음 설명에 알맞은 낱말을 찾아 연결하세요.

1 크고 환하게
웃는 웃음   •   • 비웃음

2 흉을 보듯이 빈정거리며
웃는 웃음   •   • 눈웃음

3 소리 없이 눈으로만
가만히 웃는 웃음   •   • 코웃음

4 콧소리를 내거나 코끝으로
가볍게 웃는 웃음   •   • 함박웃음

5 크게 소리를 내어 시원하고
당당하게 웃는 웃음   •   • 너털웃음

5 성질을 바꾸는 말 -하다

이름을 나타내는 말 뒤에 '-하다'가 붙어 움직임을 나타내는 말이 되는 경우가 있어요. '방지'는 '어떤 일이나 현상이 일어나지 못하게 막음.'이라는 뜻이고 '방지하다'는 '어떤 일이나 현상이 일어나지 못하게 막다.'라는 뜻이에요.

미끄럼 **방지** 시설	미끄럼을 **방지하다**.
이름을 나타내는 말	움직임을 나타내는 말

빈칸에 알맞은 낱말을 [보기]에서 찾아 써 보세요.

보기

방지　　수확　　채집　　처리　　철수　　활용

① 과수원에서 잘 익은 사과를 [   ] 했다.
익거나 다 자란 농작물을 거두어들임.

② 그동안 미뤄 둔 일을 빠르게 [   ] 했다.
일 따위를 순서에 따라 정리하여 치르거나 마무리를 지음.

③ 공터를 주차 공간으로 [   ] 할 계획이다.
충분히 잘 이용함.

④ 비가 내려서 조명 장비를 촬영장에서 [   ] 했다.
거두어들이거나 걷어치움.

⑤ 토요일에 아빠와 함께 산에 가서 나비를 [   ] 했다.
널리 찾아서 얻거나 캐거나 잡아 모음.

⑥ 이가 썩는 것을 [   ] 하기 위해 양치질을 올바르게 해야 한다.
어떤 일이나 현상이 일어나지 못하게 막음.

| 결정 | 부여 | 사냥 | 실현 | 안내 | 토론 |

7 사냥꾼이 들짐승을 [　　　　] 하고 있다.

도구를 사용하여 산이나 들의 짐승을 잡음.

8 그는 연주회에 특별한 의미를 [　　　　] 했다.

사물이나 일에 가치 따위를 붙여 줌.

9 드디어 가수가 되고 싶다는 꿈을 [　　　　] 했다.

꿈, 기대 따위를 실제로 이룸.

10 국어 시간에 '개인 컵을 사용해야 한다.'라는 주제로 [　　　　] 했다.

어떤 문제에 대하여 여러 사람이 각각 의견을 말하며 논의함.

11 학급 회의에서 교실 게시판을 다시 꾸미기로 [　　　　] 했다.

행동이나 태도를 분명하게 정함.

12 외국인 관광객에게 우리나라의 전통을 [　　　　] 할 예정이다.

어떤 내용을 소개하여 알려 줌.

43

6 올바른 발음 희망[히망]

낱말의 첫 글자인 '의'는 [의]로 발음하고, 낱말의 첫 글자 이외의 '의'는 [의]나 [이]로 발음해요. 하지만 '늬'와 '희'는 항상 [니]와 [히]로 발음해야 해요.

의사 → [의사]	주의 → [주의]/[주이]	희망 → [히망]

✏️ 밑줄 친 낱말의 알맞은 발음을 찾아 ○표 하세요.

1 나는 누나의 의견에 동의한다. ⇨ [동으]　　[동이]
　　　　　　　　의견을 같이함.

2 친구 사이에는 의리를 지켜야 한다. ⇨ [으:리]　　[의:리]
　　　　　　　　사람으로서 마땅히 지켜야 할 도리

3 나의 장래 희망은 가수가 되는 것이다. ⇨ [히망]　　[희망]
　　　　　　　　어떤 일을 이루거나 하기를 바람.

4 내가 그 일을 혼자 할 수 있을지 의문이다. ⇨ [으문]　　[의문]
　　　　　　　　의심스럽게 생각함.

5 이 책상은 나무의 무늬가 그대로 살아 있다. ⇨ [무니]　　[무늬]
　　　　　　　　물건의 겉에 나타난 어떤 모양

6 우리 집 담장에 흰색으로 페인트칠을 했다. ⇨ [흰색]　　[힌색]
　　　　　　　　눈이나 우유의 빛깔과 같이 밝고 선명한 색

7 낱말 퀴즈

✏️ 빈칸에 알맞은 낱말을 주어진 글자 카드로 만들어 써 보세요.

| 민 | 자 | 정 | 주 | 책 | 치 |

1 올바른 [   ]을 세우는 일이 중요하다.
　　　　　정치적 목적을 이루기 위한 방안

2 우리 학교 학생들은 [   ] 정신이 뛰어나다.
　　　　　자기 일을 스스로 다스림.

3 공사를 시작하기에 앞서 [   ]들의 반대에 부딪혔다.
　　　　　일정한 지역에 살고 있는 사람

| 의 | 조 | 지 | 합 | 항 |

4 그들은 토론 끝에 실천 [   ]을 만들었다.
　　　　　법이나 규칙 따위의 낱낱의 항복

5 회의를 통해 그 문제에 대한 [   ]를 이끌어 냈다.
　　　　　서로 의견이 일치함. 또는 그 의견

6 그들은 뜻과 [   ]가 있었기 때문에 성공할 수 있었다.
　　　　　어떤 일을 이루고자 하는 마음

45

8 띄어쓰기

'예쁜 것', '작은 것'과 같이 '것'은 혼자서는 쓰일 수 없고, 다른 말의 꾸밈을 받아야 쓰일 수 있는 말이에요. 이와 같은 말에는 '수'나 '줄'과 같은 말도 있지요. 한편, 가리키는 말로 사용하는 '이것', '저것', '그것' 등은 하나의 낱말이므로 '이', '저', '그'와 '것'을 붙여 써야 해요.

✏️ 다음 문장을 주어진 횟수에 따라 바르게 띄어 써 보세요.

1 먹을것이있니? (2회)

					있	니	?		

2 나는피아노를칠수있다. (3회)

나	는		피	아	노	를			
있	다	.							

3 민지가거짓말을할줄은몰랐다. (4회)

민	지	가		거	짓	말	을		
			몰	랐	다	.			

4 그길은어두우니조심할것. (4회)

그		길	은		어	두	우	니	
			.						

5 교실청소는우리가함께할수있어요. (6회)

교	실		청	소	는		우	리	가	
함	께									.

월
일

6 이것은제것이아니에요. (3회)

			제		것	이		아	니
에	요	.							

7 저에게그것을빌려주시겠어요? (3회)

저	에	게					빌	려	
주	시	겠	어	요	?				

8 저것은체육시간에사용할공이에요. (4회)

			체	육		시	간	에	
사	용	할		공	이	에	요	.	

9 그필통은제것이아니에요. (4회)

그		필	통	은					
아	니	에	요	.					

47

9 타교과 어휘 도덕

✎ 빈칸에 알맞은 낱말을 [보기]에서 찾아 써 보세요.

보기

| 근면 | 도리 | 실천 | 절제 | 정직 | 협동 |

1 계획을 세우는 것보다 [＿＿＿] 하는 것이 더 중요하다.

생각한 바를 실제로 행함.

2 힘들 때 위로를 해 주는 것이 친구의 [＿＿＿] 라고 생각한다.

사람이 마땅히 행하여야 할 바른길

3 우리 반 친구들이 서로 [＿＿＿] 하여 교실을 예쁘게 꾸몄다.

서로 마음과 힘을 하나로 합함.

4 남을 속이거나 거짓말을 하는 것은 [＿＿＿] 하지 못한 것이다.

마음에 거짓이나 꾸밈이 없이 바르고 곧음.

5 영수는 컴퓨터 게임을 더 하고 싶었지만 스스로 [＿＿＿] 하였다.

정도에 넘지 아니하도록 자기를 다스리는 것

6 선생님은 결석과 지각을 하지 않는 빈주에게 [＿＿＿] 하다고 칭찬하셨다.

부지런히 일하며 힘씀.

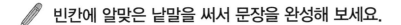
빈칸에 알맞은 낱말을 써서 문장을 완성해 보세요.

1 서준이는 부지런해서 다른 아이들의 | ㅁ | ㅂ |이 된다.

본받아 배울 만한 대상

2 우리 학교 교장 선생님은 많은 학생들의 | ㅈ | ㄱ |을 받는다.

남을 공경하고 높이 받들어 모시는 것

3 여러 사람이 함께 생활할 때에는 | ㄱ | ㅊ |을 잘 지켜야 한다.

여러 사람이 다 같이 지키기로 작정한 법칙

4 나는 | 야 | ㅅ |에 찔려 엄마에게 내 잘못을 사실대로 말했다.

자신의 행위에 대하여 옳고 그름을 판단하고 바른 말과 행동을 하려는 마음

5 아빠는 항상 내가 우리 집의 가장 귀한 | ㅂ | ㅂ |라고 말씀하신다.

아주 귀하고 소중하며 꼭 필요한 사람이나 물건

6 친구 사이에는 서로를 생각하는 따뜻한 | ㅁ | ㅇ | ㄱ | ㅈ |을 가져야 한다.

마음의 자세

49

다음 빈칸에 낱말을 넣어 문장을 완성하세요.

너털웃음

크게 소리를 내어 시원하고 당당하게 웃는 웃음

⑩ 삼촌은 ☐☐☐☐ 을 호탕하게 터뜨렸다.

의문

의심스럽게 생각함.

⑩ 누구보다 부지런한 민희가 왜 늦었는지 ☐☐ 이다.

이용료

이용한 값으로 내는 요금

⑩ 우리 동네에 있는 수영장의 ☐☐☐ 는 하루 이천 원이다.

수확

익거나 다 자란 농수산물을 거두어들임.

⑩ 올해는 비가 적당히 와서 농작물의 ☐☐ 이 크게 늘었다.

함박웃음

크고 환하게 웃는 웃음

⑩ 선생님은 ☐☐☐☐ 을 지으며 등교하는 우리를 반겨 주셨다.

비웃음

흉을 보듯이 빈정거리며 웃는 웃음

⑩ 나는 음치여서 노래를 부르면 ☐☐☐ 을 받을까봐 걱정이 된다.

방지

어떤 일이나 현상이 일어나지 못하게 막음.

⑩ 곰팡이가 생기는 것을 ☐☐ 하기 위해 환기를 잘 시켜야 한다.

전기료

전기를 사용한 요금

⑩ 사용하지 않는 가전제품은 전원을 꺼 두면 ☐☐☐ 를 아낄 수 있다.

도리

사람이 마땅히 행하여야 할 바른길

⑩ 친구가 어려울 땐 도와주는 것이 ☐☐이다.

절제

정도에 넘지 아니하도록 자기를 다스리는 것

⑩ 우리 할아버지는 ☐☐ 있는 생활을 하신다.

합의

서로 의견이 일치함. 또는 그 의견

⑩ 사람들은 다수의 의견에 따르기로 ☐☐하였다.

철수

거두어들이거나 걷어치움.

⑩ 갑자기 비가 쏟아져서 대원들이 텐트를 ☐☐했다.

정직

마음에 거짓이나 꾸밈이 없이 바르고 곧음.

⑩ 선생님이 묻는 말씀에 나는 ☐☐하게 대답하였다.

정책

정치적 목적을 이루기 위한 방안

⑩ 교통 문제를 해결하기 위한 새로운 ☐☐이 필요하다.

근면

부지런히 일하며 힘씀.

⑩ 매일 학교에 일찍 오는 희수는 반에서 제일 ☐☐하다.

양심

자신의 행위에 대하여 옳고 그름을 판단하고 바른 말과 행동을 하려는 마음

⑩ 나는 친구에게 거짓말을 한 것이 ☐☐에 찔렸다.

4장 일에 대한 의견

1 사실과 의견

사실과 의견을 구별할 수 있어야 정보를 올바르게 이해하고 받아들일 수 있어요.

🖊 주어진 뜻에 알맞은 낱말을 써 보세요.

1. 성질이나 종류에 따라 갈라놓음.　⇨　ㄱ ㅂ

2. 어떤 대상에 대하여 가지는 생각　⇨　ㅇ ㄱ

3. 실제로 있었던 일이나 현재에 있는 일　⇨　ㅅ ㅅ

🖊 다음 문장에 어울리는 낱말을 찾아 ○표 하세요.

1. 이번 일은 부모님의 (사실 / 의견)을 따르기로 하였다.

2. 쥐들이 수박을 좋아한다는 것은 새롭게 알게 된 (사실 / 의견)이다.

3. 신문 기사를 읽을 때에는 사실과 의견을 (구별 / 혼동)하며 읽어야 한다.

✏️ '사실'과 '의견'에 해당하는 것을 찾아 알맞게 연결하세요.

• 생각

① 사실 •

• 느낌

• 한 일

② 의견 •

• 본 일

• 들은 일

✏️ 다음 내용이 사실인지, 의견인지 써 보세요.

① 박물관에서 단원 김홍도의 그림을 봄. ⇨ ☐

② 친구와 함께 현장 체험 학습을 다녀옴. ⇨ ☐

③ 그림 속 사람들의 모습과 표정이 실감 났음. ⇨ ☐

2 주제별 어휘 그림

'그림'은 '선이나 색채를 써서 사물의 모양을 나타낸 것'을 가리키는 말이에요. '그림'을 감상할 때에는 그림의 대상과 주제, 표현 방법 등에 주목할 필요가 있어요.

🖉 다음 글의 빈칸에 알맞은 낱말을 [보기]에서 찾아 써 보세요.

보기
대비   묘사   배치   풍경   화면

이 그림은 밤의 ❶〔　〕을 ❷〔　〕하고 있다. 짙은 파란색을 사용하여 밤하늘을 표현하였고, 이와 ❸〔　〕되는 밝은 노란색으로 별과 달을 표현했다. 밤하늘 아래에는 마을을 ❹〔　〕하여 ❺〔　〕을 채웠다. 특히 밤하늘과 마을, 나무의 구도가 참 멋있다.

❶ 산이나 들, 강, 바다 따위의 자연이나 지역의 모습 ⇨ 〔　〕

❷ 어떤 대상을 언어로 말하고 적거나, 그림을 그려서 표현함. ⇨ 〔　〕

❸ 그와 반대되는 형태, 색 등을 나란히 두는 일 ⇨ 〔　〕

❹ 사람이나 물건을 일정한 자리에 알맞게 나누어 둠. ⇨ 〔　〕

❺ 영화나 텔레비전에 나타나는 영상 ⇨ 〔　〕

54

3 뜻을 더하는 말 –감

'–감'은 다른 낱말의 뒤에 붙어 '느낌'의 의미를 더하는 말이에요.

생동
율동
+ -감
'느낌'의 뜻을 더함.
→ 생동감
→ 율동감

✎ 다음 밑줄 친 부분을 하나의 낱말로 바꿔 써 보세요.

❶ 이 그림은 전체적으로 <u>색이 주는 느낌</u>이 좋다. ⇨ | ㅅ | 감 |

❷ 신나는 노래에는 <u>규칙에 따라 주기적으로 움직이게 하는 느낌</u>이 있다. ⇨ | 유 | 도 | 감 |

❸ 재래시장에 가면 <u>생기 있게 살아 움직이는 듯한 느낌</u>을 받을 수 있다. ⇨ | ㅅ | 도 | 감 |

❹ 현장에서 구조된 사람들은 금세 <u>몸과 정신이 편안하고 고요한 느낌</u>을 되찾았다. ⇨ | ㅇ | 저 | 감 |

❺ 그녀는 <u>음악적 규칙에 따라 반복되며 움직이는 느낌</u>을 살려 피아노를 연주했다. ⇨ | 리 | ㄷ | 감 |

4 뜻이 여러 가지인 말 빌다, 빌리다

✎ 밑줄 친 낱말의 알맞은 뜻을 찾아 번호를 써 보세요.

> **빌다**
> ① 바라는 것을 이루게 해 달라고 신이나 사람, 사물 따위에 간절히 청하다.
> ② 잘못을 용서해 달라고 청하다.
> ③ 생각한 대로 이루어지길 바라다.

1 하늘에 소원을 <u>빌다</u>. ⇨ ☐

2 얼른 나으시길 <u>빌어요</u>. ⇨ ☐

3 선생님께 용서를 <u>빌다</u>. ⇨ ☐

4 합격을 마음속으로 <u>빌다</u>. ⇨ ☐

5 보름달을 보며 소원을 <u>빌다</u>. ⇨ ☐

6 피해자의 가족에게 용서를 <u>빌다</u>. ⇨ ☐

빌리다
① 남의 것을 돌려주기로 하고 잠시 얻어 쓰다.
② 남의 도움을 받거나 필요한 부분을 이용하다.
③ 형식 또는 남의 말이나 글 따위를 취하여 따르다.

7 친구에게서 펜을 <u>빌리다</u>.   ⇨

8 일손을 <u>빌려</u> 일을 겨우 마쳤다.   ⇨

9 친구의 힘을 <u>빌려</u> 책상을 옮겼다.   ⇨

10 예식장에서 웨딩드레스를 <u>빌리다</u>.   ⇨

11 이 자리를 <u>빌려</u> 감사의 말씀을 드립니다.   ⇨

12 어부의 말을 <u>빌리면</u> 요즘은 고기가 잘 안 잡힌다고 한다.   ⇨

5 헷갈리기 쉬운 말 낫다/낳다

'낫다'는 '병이나 상처 따위가 고쳐져 원래대로 되다.'라는 뜻을 가진 말이고, '낳다'는 '배 속의 아이, 새끼, 알을 몸 밖으로 내놓다.', '어떤 결과를 이루거나 가져오다.'라는 뜻을 가진 말이에요. 이 말들은 잘 구분해서 사용해야 해요.

> 감기가 **낫다.**
> 낳다(×)

> 새끼를 **낳다.**
> 낫다(×)

✏️ 다음 문장에 어울리는 낱말을 찾아 ○표 하세요.

① 열심히 노력을 해서 좋은 결과를 (낫다 / 낳다).

② 감기가 (나은 / 낳는) 것 같더니 다시 심해졌다.

③ 마당에서 키우는 닭이 커다란 알을 (낫다 / 낳다).

④ 넘어져서 생긴 상처가 깨끗하게 (나았다 / 낳았다).

⑤ 옆집 소가 오늘 아침에 송아지를 (나았다 / 낳았다).

⑥ 잠을 푹 잤더니 감기가 씻은 듯이 다 (나았다 / 낳았다).

더 알아두기

'낳다'는 문장에서 '낳았고, 낳으니, 낳아서'로 활용하고 '낫다'는 '나았고, 나으니, 나아서'로 활용해요.

6 행동을 당하는 말 −되

'−되'는 사물이나 사람이 다른 힘에 의하여 움직이게 되는 것을 말해요. 예를 들어 '전시되다'는 '여러 가지 물품이 한곳에 벌여 놓아져 볼 수 있게 되다.'라는 뜻을 가지고 있어요.

> 그림을 **전시하다**. → 그림이 **전시되다**.

✎ 밑줄 친 낱말을 '행동을 당하는 말'로 바꿔 써 보세요.

1
박물관에 그림을 전시하다.
여러 물품을 한곳에 벌여 놓고 보게 하다.

그림이 박물관에 ☐☐☐☐ .

2
소중한 문화재를 그대로 보전하다.
온전하게 보호하여 유지하다.

소중한 문화재가 그대로 ☐☐☐☐ .

3
교실에 학생들의 자리를 배치하다.
사람이나 물건 따위를 알맞게 나누어 놓다.

학생들의 자리가 교실에 ☐☐☐☐ .

4
운동을 잘 하는 친구들을 선별하다.
가려서 따로 나누다.

운동을 잘 하는 친구들이 ☐☐☐☐ .

5
평소에 가진 생각을 글로 표현하다.
생각을 글이나 그림으로 나타내다.

평소에 가진 생각이 글로 ☐☐☐☐ .

59

7 낱말 퀴즈

✏️ 빈칸에 알맞은 낱말을 주어진 글자 카드로 만들어 써 보세요.

| 기 | 새 | 멸 | 위 | 종 | 텃 |

1 도도새는 1981년에 [   ]이 되었다.

생명의 한 종류가 아주 없어짐.

2 괭이갈매기는 독도에 사는 [   ]이다.

철을 따라 자리를 옮기지 아니하고 거의 한 지방에서만 사는 새

3 갑작스러운 [   ] 상황에도 잘 대처해야 한다.

위험한 고비나 시기

| 계 | 력 | 명 | 보 | 생 | 태 | 호 |

4 잡초는 [   ]이 질겨서 쉽사리 죽지 않는다.

생물체가 생명을 유지하여 나가는 힘

5 [   ]가 파괴되지 않도록 우리 모두 노력해야 한다.

일정한 곳에서 생물들이 서로 관계를 맺으며 균형과 조화를 이루는 자연의 세계

6 환경을 [   ]하기 위하여 일회용품의 사용을 줄여야 한다.

잘 지키고 보살핌.

8 올바른 발음 칼날[칼랄]

'ㄴ'은 'ㄹ'의 앞이나 뒤에서 [ㄹ]로 소리가 나요. 하지만 몇몇 한자어는 'ㄴ' 다음에 오는 'ㄹ'이 [ㄴ]으로 소리가 나요.

신라 → [실라]　　　칼날 → [칼랄]　　　등산로 → [등산노]

✏️ 밑줄 친 낱말의 알맞은 발음을 찾아 ○표 하세요.

1 칼날이 매우 날카롭다.　　⇨　　[칸난]　　[칼랄]

2 판단력을 키워야 한다.　　⇨　　[판단녁]　　[판달력]

3 차에 연료를 보충하다.　　⇨　　[연뇨]　　[열료]

4 등산로 입구에서 만나자.　　⇨　　[등산노]　　[등산로]

5 그 훈련은 성공적이었다.　　⇨　　[훈ː년]　　[훌ː련]

6 한라산의 높이는 1,950미터이다.　　⇨　　[한ː나산]　　[할ː라산]

9 타교과 어휘 수학

🖉 빈칸에 알맞은 낱말을 [보기]에서 찾아 써 보세요.

보기

| 둔각 | 배열 | 예각 | 직각 | 통계 | 막대그래프 |

1 130도의 각을 가진 삼각형은 ☐ 삼각형이다.
90도보다는 크고 180도보다는 작은 각

2 피아노의 건반은 낮은음부터 높은음으로 ☐ 되어 있다.
일정한 차례나 간격에 따라 벌여 놓음.

3 이 삼각형은 한 각이 90도인 것을 보니 ☐ 삼각형이다.
두 직선이 만나서 이루는 90도의 각

4 이 각은 60도로, 90도보다 작으므로 ☐ 이라 할 수 있다.
직각보다 작은 각

5 ☐ 를 이용하면 지역별 강수량을 한눈에 알 수 있다.
사물의 양을 막대 모양의 길이로 나타낸 그래프

6 우리 반 학생들이 좋아하는 과목을 ☐ 를 내어 보니 수학이 가장 많 았다.
어떤 사물이 나타나는 수나 횟수를 모두 합한 수

밑줄 친 낱말에 알맞은 뜻을 찾아 연결하세요.

1 간단한 곱셈은 덧셈식으로 풀 수 있다.

같은 일을 되풀이함.

2 우리 모둠에서는 슬기가 발표자로 선정되었다.

여럿 가운데서 어떤 것을 뽑아 정함.

3 이 계산식은 편리해서 많은 사람들이 사용한다.

몇 개의 수나 식 따위를 더하여 계산하거나 셈하는 식

4 일정하게 반복되는 숫자를 통해 규칙을 찾아냈다.

주어진 수를 일정한 규칙에 따라 처리하여 수를 구하는 식

5 다른 사람이 풀 수 없게 암호를 복잡하게 만들었다.

운동 경기 따위에서 세운 성적이나 결과를 수치로 나타냄.

6 지선이는 이번 달리기 대회에서 교내 최고 기록을 세웠다.

비밀을 지키기 위하여 관계가 있는 사람들끼리만 알 수 있도록 정한 기호

63

어휘력을 높이는 확인 학습

다음 빈칸에 글자를 넣어 낱말을 완성하세요.

1 구[ ]   성질이나 종류에 따라 갈라놓음.

2 의[ ]   어떤 대상에 대하여 가지는 생각

3 안[ ]감   몸과 정신이 편안하고 고요한 느낌

4 생[ ]감   생기 있게 살아 움직이는 듯한 느낌

5 사[ ]   실제로 있었던 일이나 현재에 있는 일

6 [ ]다   배 속의 아이, 새끼, 알을 몸 밖으로 내놓다.

7 [ ]비   그와 반대되는 형태, 색 등을 나란히 두는 일

8 풍[ ]   산이나 들, 강, 바다 따위의 자연이나 지역의 모습

9 배[ ]   사람이나 물건을 일정한 자리에 알맞게 나누어 둠.

10 [ ]사   어떤 대상을 언어로 말하고 적거나, 그림을 그려서 표현함.

정답   1. 별   2. 견   3. 정   4. 동   5. 실   6. 낳   7. 대   8. 경   9. 치   10. 묘

11 ☐각 — 직각보다 작은 각

12 선☐하다 — 가려서 따로 나누다.

13 ☐전하다 — 온전하게 보호하여 유지하다.

14 ☐종 — 생명의 한 종류가 아주 없어짐.

15 ☐각 — 90도보다는 크고 180도보다는 작은 각

16 ☐다 — 병이나 상처 따위가 고쳐져 원래대로 되다.

17 빌☐다 — 남의 것을 돌려주기로 하고 잠시 얻어 쓰다.

18 막☐그☐프 — 사물의 양을 막대 모양의 길이로 나타낸 그래프

19 ☐다 — 바라는 것을 이루게 해 달라고 신이나 사람, 사물 따위에 간절히 청하다.

20 생☐계 — 일정한 곳에서 생물들이 서로 관계를 맺으며 균형과 조화를 이루는 자연의 세계

정답 11. 예   12. 별   13. 보   14. 멸   15. 둔   16. 낫   17. 리   18. 대, 래   19. 빌   20. 태

5장 내가 만든 이야기

국어 교과서 138~165쪽

1 뜻을 더하는 말 −다랗다

'−다랗다'는 '그 정도가 꽤 뚜렷함.'의 뜻을 더하는 말이에요. 그런데 이 말이 더해질 때 앞 말의 형태가 변하는 경우가 있어요.

굵다 + -다랗다 → **굵다랗다**   크다 + -다랗다 → **커다랗다**

✎ 두 말이 합쳐져 만들어진 알맞은 낱말을 찾아 ○표 하세요.

1 가늘다 + −다랗다 ⇨ 가느다랗다   가늘다랗다

2 크다 + −다랗다 ⇨ 크다랗다   커다랗다

3 굵다 + −다랗다 ⇨ 국따랗다   굵다랗다

4 잘다 + −다랗다 ⇨ 잔다랗다   잘다랗다

5 길다 + −다랗다 ⇨ 기다랗다   길다랗다

2 모양을 흉내 내는 말 깜박깜박

'깜박깜박'은 불빛 따위가 자꾸 어두워졌다 밝아지는 모양을 흉내 낸 말이에요. 이와 같은 말들은 '훅훅', '빙글빙글'처럼 같은 말을 반복하는 경우가 많아요.

등대가 **깜박깜박** 불을 밝힌다.
불빛 따위가 자꾸 어두워졌다 밝아지는 모양

✏️ 빈칸에 알맞은 낱말을 [보기]에서 찾아 써 보세요.

보기

꾹꾹   훅훅   빙글빙글   깜박깜박   쑥덕쑥덕

① 땅에서 뜨거운 열기가 [   ] 솟아오른다.
냄새나 바람, 열기 따위의 기운이 잇따라 밀려드는 모양

② 밤하늘에 반딧불이가 [   ] 빛나고 있다.
불빛 따위가 자꾸 어두워졌다 밝아지는 모양

③ 얼음판 위의 팽이가 [   ] 원을 그리며 돈다.
큰 것이 잇따라 미끄럽게 도는 모양

④ 아이들이 모여 [   ] 이야기를 하고 있다.
남이 알아듣지 못할 만큼 작은 소리로 은밀하게 자꾸 이야기하는 모양

⑤ 할머니는 밥을 밥공기에 [   ] 눌러 담아 주셨다.
잇따라 또는 매우 힘을 주어 누르거나 조이는 모양

3 꾸며 주는 말 영영

'영영'은 '영원히 언제까지나'라는 뜻을 가진 말이에요. 이와 같은 말은 다른 말이나 문장을 꾸며 주는 말로 쓰여요.

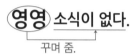

영영 소식이 없다.

꾸며 줌.

✏️ 빈칸에 알맞은 낱말을 [보기]에서 찾아 써 보세요.

보기

| 만일 | 영영 | 잔뜩 | 드디어 | 감쪽같이 | 고스란히 |

❶ 잔칫집에 가서 음식을 [   ] 먹었다.

한도에 이를 때까지 가득

❷ [   ] 한 달 정도 계속되어 온 장마가 끝났다.

무엇으로 말미암아 그 결과로

❸ 내가 키우던 강아지의 모습을 [   ] 잊을 수 없다.

영원히 언제까지나

❹ 심부름을 하고 엄마에게 받은 용돈을 [   ] 저금했다.

건드리지 아니하여 조금도 변하지 아니하고 그대로

❺ 실수로 찢어 버린 종이를 새것처럼 [   ] 붙여 놓았다.

꾸미거나 고친 것이 전혀 알아챌 수 없을 정도로 티가 나지 않게

❻ [   ] 위험한 상황에 저하면, 어른에게 도움을 요청해야 한다.

혹시 있을지도 모르는 뜻밖의 경우

68

4 움직임을 나타내는 말 쓰다듬다

'쓰다듬다'는 '손으로 살살 어루만지다.'라는 뜻의 움직임을 나타내는 말이에요. 이처럼 움직임을 나타내는 말은 누군가의 동작이나 작용을 표현해 주어요.

13일
월
일

아이가 강아지의 등을 **쓰다듬다**.

아이의 움직임을 나타냄.

✏️ 빈칸에 알맞은 낱말을 [보기]에서 찾아 써 보세요.

보기

마음먹다   무리하다   쓰다듬다   자랑하다   토닥이다

1 강아지의 부드러운 털을 [   ].

손으로 살살 쓸어 어루만지다.

2 몸도 안 좋은데 일을 계속하며 [   ].

정도에서 지나치게 벗어나다.

3 아기가 우유를 소화시킬 수 있게 등을 [   ].

가볍게 두드리는 소리를 내다.

4 새해에는 부모님의 말씀을 잘 듣기로 [   ].

무엇을 하겠다는 생각을 하다.

5 삼촌께 장난감을 선물로 받았다고 친구들에게 [   ].

남에게 뽐내다.

5 형태는 같은데 뜻이 다른 말 타다

'그네를 타다.'와 '얼굴이 타다.'에서 '타다.'는 형태는 같지만 전혀 다른 낱말이에요. '돈을 타다.'의 '타다' 역시 이와 다른 낱말이라고 할 수 있어요.

그네를 **타다**.	얼굴이 **타다**.	용돈을 **타다**.
탈것에 몸을 얹다.	열을 받아 지나치게 익다.	돈이나 물건을 받다.

밑줄 친 낱말에 알맞은 뜻을 찾아 연결하세요.

1 밥솥의 밥이 <u>타다</u>.

2 고기가 새카맣게 <u>타다</u>.

      돈이나 물건 따위를 받다.

3 약국에서 약을 <u>타다</u>.

4 이동하기 위해 말을 <u>타다</u>.

      탈것이나 짐승의 등 따위에 몸을 얹다.

5 학교에 갈 때 버스를 <u>타다</u>.

      뜨거운 열을 받아 검은색으로 변할 정도로 지나치게 익다.

6 심부름을 하고 엄마께 용돈을 <u>타다</u>.

6 바꿔 쓸 수 있는 말 초대하다

'초대하다'는 '어떤 모임에 참가해 줄 것을 청하다.'라는 뜻으로 '초청하다'와 비슷한 뜻을 가진 낱말이에요. 비슷한 뜻을 가진 낱말끼리는 서로 바꿔 쓰기도 해요.

생일잔치에 친구들을 [**초대하다 / 초청하다**].

바꿔 쓸 수 있음.

✎ 밑줄 친 낱말과 바꿔 쓸 수 있는 낱말을 찾아 연결하세요.

① 친구의 질문에 대답하다.

부르는 말에 대해 어떤 말을 하다.

빌다

② 경기를 도중에 포기하다.

하려던 일을 도중에 그만두어 버리다.

응하다

③ 친구를 집들이에 초대하다.

어떤 모임에 참가해 줄 것을 청하다.

초청하다

④ 방 안이 장난감으로 가득하다.

어딘가에 무엇이 꽉 차 있다.

그득하다

⑤ 열심히 노력하는 모습이 대견하다.

마음에 들고 자랑스럽다.

기특하다

⑥ 한 번만 용서해 달라고 사정하다.

일의 형편을 말하고 도움을 청하다.

그만두다

7 단위를 나타내는 말 **채**

'한 개', '두 개'와 같이 '개'는 따로따로인 물건을 세는 단위로 쓰여요. 그런데 집과 같은 물건은 '개'를 쓰지 않고 '채'를 써서 그 수를 나타내요.

사탕 한 개	**집 한 채**
따로따로인 물건을 세는 단위	집을 세는 단위

✏ 빈칸에 알맞은 낱말을 [보기]에서 찾아 써 보세요.

보기

| 냥 | 채 | 평 | 마리 | 마지기 |

① 그 마을에는 집이 열두 [   ]뿐이다.
집을 세는 단위

② 그 물건의 가격은 엽전 열 [   ]이었다.
돈을 세는 단위

③ 저녁 식사를 하기 위해 조기 한 [   ]를 구웠다.
짐승이나 물고기, 벌레 따위를 세는 단위

④ 할머니는 올해도 백 [   ]가 넘게 농사를 지었다.
논밭 넓이의 단위

⑤ 도시와 가까운 곳에 집을 짓기 위해 땅 오십 [   ]을 샀다.
땅의 넓이를 나타내는 단위

8 띄어쓰기 만큼

'만큼', '대로', '뿐'은 '-는, -을, -던' 등의 말 뒤에서는 띄어 쓰고, 이름을 나타내는 낱말이나 수를 나타내는 낱말 뒤에서는 붙여 써야 해요.

먹을ˇ만큼 담아라.   그 친구는 너⌢만큼 착하다.

✏ 다음 일기에서 밑줄 친 부분의 띄어쓰기가 알맞은 것을 찾아 ○표 하고, 바르게 써 보세요.

20○○년 ○월 ○일
　학교에서 박물관으로 체험 학습을 갔다. 선생님께서는 ①(원하는대로 / 원하는 대로) 친구들과 짝지어 관람을 해도 좋다고 하셨다. 전시된 물건들을 ②(볼만큼 / 볼 만큼) 다 보고 우리는 다시 박물관 앞에 모였다. 선생님께서는 오늘 보고 ③(느낀대로 / 느낀 대로) 감상문을 써 내라고 하셨다. 자세히 기억에 남는 건 ④(둘뿐 / 둘 뿐)이라서 걱정이 되었다. 사진이라도 찍어둘 걸…. 잘 기억이 나지 ⑤(않을뿐이지 / 않을 뿐이지) 참 뜻깊은 시간이었다.

①

②

③

④

⑤

9 외래어 표기 마라톤

42.195km를 달리는 경주를 뜻하는 말인 '마라톤'은 다른 나라 말을 빌려 와서 우리말처럼 쓰는 말인 외래어예요. 외래어는 국어에서 정한 표기가 있으므로 올바른 표현을 익혀 두어야 해요.

내 꿈은 **마라톤** 선수이다.
말아톤(×)

🖉 빈칸에 알맞은 낱말을 찾아 ○표 하고, 바르게 써 보세요.

❶ [　　　　] 가 참 달고 맛있다. ⇨ 오렌지　　오렌쥐

❷ 청팀, 이겨라! 청팀 [　　　　]! ⇨ 파이팅　　화이팅

❸ [　　　　] 대회에서 상을 받았다. ⇨ 말아톤　　마라톤

❹ 아빠는 [　　　　] 을 정리하고 계신다. ⇨ 파일　　화일

❺ [　　　　] 을 먹으니 기분이 좋아졌다. ⇨ 초코렛　　초콜릿

❻ 체육 시간에 백 [　　　　] 달리기를 했다. ⇨ 미타　　미터

74

10 낱말 퀴즈

✏️ 밑줄 친 부분의 글자 순서를 바르게 고쳐 써 보세요.

① 기고지가 창고를 지키고 있다.
관아의 창고를 보살피고 지키던 사람

⇨ ☐

② 시골에는 막두오이 많이 있다.
사람이 겨우 들어가 살 정도로 작게 지은 집

⇨ ☐

③ 갑자기 현증기을 느껴 한참을 앉아 있었다.
어지러운 기운이 나는 증세

⇨ ☐

④ 할머니네 장독대에는 아항리가 많이 있다.
아래위가 좁고 배가 부른 질그릇

⇨ ☐

⑤ 소녀가 리징다검에 앉아 개울을 들여다보고 있다.
물이 괸 곳에 돌이나 흙더미를 드문드문 놓아 만든 다리

⇨ ☐

⑥ 선수가 점결승을 통과하자 사람들의 박수가 쏟아졌다.
육상, 수영 따위에서 승부가 결정되는 지점

⇨ ☐

75

✏️ 빈칸에 알맞은 낱말을 써서 문장을 완성해 보세요.

1 이 식물은 우리나라 전 지역에 | 부 | 포 | 되어 있다.

무엇이 여러 곳에 흩어져 퍼져 있음.

2 우리의 전통문화를 잘 | ㅂ | 존 | 하여 자손들에게 물려주어야 한다.

잘 보호하고 간수하여 남김.

3 우리는 | ㅇ | 물 | 을 통해 그 시대 사람들의 생활 방식을 알 수 있다.

앞선 시대에 살았던 사람들이 남긴 물건

4 한글은 우리의 자랑스러운 | 문 | ㅎ | ㅇ | 산 | 으로 가치가 매우 높다.

앞의 세대에서 물려받은 가치 있는 문화적 재산

5 우리는 산에 올라 아름다운 주변의 | 겨 | ㄱ | 을 바라보며 도시락을 먹었다.

산, 들, 바다 따위의 자연이나 지역의 전체적인 모습

6 나는 우리 지역에서 소개하고 싶은 장소를 | 배 | ㅈ | ㄷ | 에 표시해 보았다.

여러 정보를 적어 넣기 위한 기본 지도

✏️ 빈칸에 알맞은 말을 [보기]에서 찾아 써 보세요.

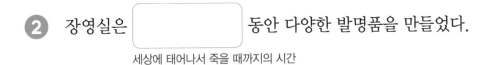

보기

면담   보급   업적   인재   일생   무형 문화재

1 그 학교에는 우수한 [   ]가 많이 있다.

　　　　　사회적으로 쓸모가 있는 훌륭한 사람

2 장영실은 [   ] 동안 다양한 발명품을 만들었다.

　　　　세상에 태어나서 죽을 때까지의 시간

3 평생을 판소리에 바친 그는 [   ]로 지정되었다.

　　　　　예술 활동이나 기술처럼 형태가 없는 문화유산

4 세종 대왕은 역사에 길이 남을 많은 [   ]들을 남겼다.

　　　　　　어떤 사업이나 연구 따위에서 이뤄 놓은 결과

5 장영실은 여러 발명품을 [   ]하여 백성들이 편하게 살도록 했다.

　　　　널리 펴서 많은 사람들에게 골고루 미치게 하여 누리게 함.

6 우리는 지역에 관한 자세한 정보를 얻기 위해 지역 주민과 [   ]을 했다.

　　　　　　　서로 만나서 이야기함.

다음 빈칸에 낱말을 넣어 문장을 완성하세요.

기다랗다

매우 길거나 생각보다 길다.
예 기린은 목이 ☐☐☐☐.

잗다랗다

꽤 잘다.
예 좁쌀은 크기가 ☐☐☐☐.

가느다랗다

아주 가늘다.
예 피아노 선생님은 손가락이 길고 ☐☐☐☐☐☐.

무리하다

정도에서 지나치게 벗어나다.
예 ☐☐☐게 힘을 주면 나무가 부러질 수 있다.

토닥이다

가볍게 두드리는 소리를 내다.
예 선생님은 나의 어깨를 ☐☐☐며 칭찬해 주셨다.

훅훅

냄새나 바람, 열기 따위의 기운이 잇따라 밀려드는 모양
예 여름에는 땅바닥에서도 열기가 ☐☐ 오른다.

경관

산, 들, 바다 따위의 자연이나 지역의 전체적인 모습
예 이곳은 공기가 맑고 자연 ☐☐이 무척 아름답다.

감쪽같이

꾸미거나 고친 것이 전혀 알아챌 수 없을 정도로 티가 나지 않게
예 엄마는 찢어진 내 치마를 새 옷처럼 ☐☐☐☐
바느질해 주셨다.

| **결승점** | 육상, 수영 따위에서 승부가 결정되는 지점 |
| | 예 마지막 주자가 드디어 ☐☐☐ 에 도착했다. |

| **사정하다** | 일의 형편을 말하고 도움을 청하다. |
| | 예 그는 강도에게 목숨만은 살려 달라고 ☐☐ 했다. |

| **대견하다** | 마음에 들고 자랑스럽다. |
| | 예 선생님은 질서를 잘 지키는 학생들이 ☐☐ 했다. |

| **분포** | 무엇이 여러 곳에 흩어져 퍼져 있음. |
| | 예 교통이 편리한 곳에 인구가 많이 ☐☐ 하고 있다. |

| **업적** | 어떤 사업이나 연구 따위에서 이뤄 놓은 결과 |
| | 예 훈민정음의 창제는 세종 대왕의 ☐☐ 중 하나이다. |

| **마지기** | 논밭 넓이의 단위 |
| | 예 우리 할머니는 논 서른 ☐☐☐ 에 농사를 지으신다. |

| **문화유산** | 앞의 세대에서 물려받은 가치 있는 문화적 재산 |
| | 예 우리의 ☐☐☐☐ 에는 조상들의 지혜와 숨결이 담겨 있다. |

| **오두막** | 사람이 겨우 들어가 살 정도로 작게 지은 집 |
| | 예 산속 ☐☐☐ 에는 찾아오는 사람도 없이 산새만 지저귀고 있다. |

6장 회의를 해요

국어 교과서 174~193쪽

1 주제별 어휘 회의

'회의'란 여럿이 모여 의논하는 일을 말해요. 회의를 잘 진행하기 위해서는 일정한 절차에 따라 회의를 해야 해요.

✎ 다음은 회의의 절차를 설명한 것입니다. 알맞은 말을 [보기]에서 찾아 써 보세요.

보기

| 개회 | 폐회 | 표결 | 결과 발표 | 주제 선정 | 주제 토의 |

❶ 회의의 시작을 알립니다. ⇨ ☐

❷ 회의 주제를 정합니다. ⇨ ☐

❸ 선정된 주제에 맞는 의견을 제시합니다. ⇨ ☐

❹ 찬성과 반대 의견을 헤아려 다수결로 결정합니다. ⇨ ☐

❺ 결정한 의견을 발표합니다. ⇨ ☐

❻ 회의의 마침을 알립니다. ⇨ ☐

2 바꿔 쓸 수 있는 말 역할

'역할'과 '구실'은 '마땅히 해야 할 일'을 가리키는 말이에요. 두 낱말은 의미가 비슷해 상황에 따라 서로 바꿔 쓰기도 해요.

그는 반장 **[역할 / 구실]** 을 잘하고 있다.
바꿔 쓸 수 있음.

밑줄 친 낱말과 바꿔 쓸 수 있는 낱말을 [보기]에서 찾아 써 보세요.

> 보기
>
> 구실   동의   발의   선택   관리자

1 저도 혁수의 의견에 찬성합니다.
다른 사람의 의견이나 생각 등이 좋다고 인정해 뜻을 같이함.
⇨ ☐

2 우리는 각자 제 역할을 해야 한다.
마땅히 해야 할 일
⇨ ☐

3 이번 회의에서 그의 의견이 채택되었다.
작품, 의견 따위를 골라서 다루거나 뽑아 씀.
⇨ ☐

4 안전 지킴이 활동으로 사고를 예방할 수 있다.
관리하는 사람
⇨ ☐

5 민수는 학교에 건의함을 설치하자고 제안하였다.
안이나 의견으로 내놓음.
⇨ ☐

81

3 뜻이 반대인 말 독주/합주

'독주'는 '한 사람이 악기를 연주하는 것'을 의미하고 '합주'는 '두 가지 이상의 악기로 동시에 연주하는 것'을 의미해요.

피아노의 **독주**　　　　피아노와 바이올린의 **합주**

밑줄 친 낱말과 뜻이 반대인 낱말을 [보기]에서 찾아 써 보세요.

보기

| 가해 | 거절 | 독주 | 불참 | 자유화 |

① 그 모임에는 <u>참석</u>이 어렵다.
　모임이나 회의 따위의 자리에 참여함.

⇨ [　　　]
어떤 자리에 참여하지 않음.

② 위험한 행동은 강력히 <u>규제</u>해야 한다.
　규칙 · 법 등을 벗어나지 못하게 함.

⇨ [　　　]
제한 없이 자유롭게 됨.

③ 친구 집에서 놀아도 된다는 <u>허락</u>을 받았다.
　요청을 들어줌.

⇨ [　　　]
상대편의 부탁을 받아들이지 않고 물리침.

④ 음악 시간에 다양한 리듬 악기로 <u>합주</u>를 했다.
　두 가지 이상의 악기로 동시에 연주하는 것

⇨ [　　　]
한 사람이 악기를 연주하는 것

⑤ 도서관에서 떠드는 것은 옆 사람에게 <u>피해</u>를 준다.
　재산, 신체, 명예 따위에 손해를 입음.

⇨ [　　　]
해를 끼침.

82

4 헷갈리기 쉬운 말 다치다/닫치다/닫히다

'다치다, 닫치다, 닫히다'는 비슷해 보이지만 각각 다른 뜻을 가지고 있어요.

손을 **다치다**.	문을 **닫치다**.	문이 **닫히다**.
신체에 상처가 생기다.	세게 닫다.	닫아지다.

🖉 다음 문장에 어울리는 낱말을 찾아 ○표 하세요.

1 화가 나서 현관문을 (다치다 / 닫치다 / 닫히다).

2 물건을 들다가 허리를 (다치다 / 닫치다 / 닫히다).

3 열어 놓은 창문이 바람에 (다치다 / 닫치다 / 닫히다).

4 축구를 하다가 다리를 (다쳐 / 닫쳐 / 닫혀) 병원에 갔다.

5 서준이가 교실 문을 탁 (다치고 / 닫치고 / 닫히고) 나갔다.

6 뚜껑이 너무 꼭 (다쳐서 / 닫쳐서 / 닫혀서) 열리지 않는다.

5 뜻이 여러 가지인 말 1 말씀

'말씀'은 남의 말을 높여 이르는 말이기도 하고, 자기의 말을 낮추어 이르는 말이기도 해요.

아버지의 **말씀**을 듣다.	아버지께 **말씀**을 드리다.
'남의 말'을 높임.	'자기의 말'을 낮춤.

밑줄 친 낱말이 '높여 이르는 말'인지 '낮추어 이르는 말'인지 써 보세요.

1 어머니의 <u>말씀</u>을 잘 듣겠습니다. ⇨ 높임

2 할머니의 <u>말씀</u>을 듣고 싶습니다. ⇨

3 아버지, 제가 드릴 <u>말씀</u>이 있습니다. ⇨

4 제가 할아버지께 <u>말씀</u>을 올리겠습니다. ⇨

5 그 일에 대해 제가 <u>말씀</u>을 드리겠습니다. ⇨

6 그분의 <u>말씀</u>대로 하는 것이 좋겠습니다. ⇨

7 선생님의 <u>말씀</u>대로 내일까지 숙제를 해 오겠습니다. ⇨

6 뜻이 여러 가지인 말 2 얻다

'얻다'는 '거저 주는 것을 받아 가지다.'라는 기본적인 뜻 외에도 여러 가지 뜻을 가지고 있어요.

연필을 **얻다**.	기쁨을 **얻다**.	일자리를 **얻다**.
거저 주는 것을 받아 가지다.	태도·반응·상태를 가지다.	구하거나 찾아서 가지다.

🖊 밑줄 친 낱말에 알맞은 뜻을 찾아 연결하세요.

1 일에서 보람을 <u>얻다</u>.   구하거나 찾아서 가지다.

2 책에서 정보를 <u>얻다</u>.   거저 주는 것을 받아 가지다.

3 이웃집에서 의자를 <u>얻다</u>.   긍정적인 태도 · 반응 · 상태 따위를 가지다.

4 길을 잃은 아이가 가족을 <u>찾다</u>.   어떤 사람이나 장소를 보기 위해 옮겨 가다.

5 주말에 가족과 함께 바다를 <u>찾다</u>.   잃거나 맡겨 둔 것을 돌려받아 가지게 되다.

6 분실물 보관소에서 잃어버린 가방을 <u>찾다</u>.   발견하거나 알아내려고 뒤지거나 살피다.

7 합쳐진 말 가족회의

'가족'과 '회의'가 합쳐져서 '가족끼리 하는 회의'를 뜻하는 '가족회의'라는 하나의 낱말이 생겨났어요.

가족 + 회의 → 가족회의
두 낱말이 만나 하나의 낱말이 됨.

✏️ 낱말 카드를 왼쪽에서 하나, 오른쪽에서 하나씩 꺼내어 주어진 뜻에 알맞은 말을 써 보세요.

1 가족끼리 하는 회의 ⇨ [   ]

2 학교에서 하는 생활 ⇨ [   ]

3 점심을 먹기 위해 정해 놓은 시간 ⇨ [   ]

4 자연 현상 때문에 일어나는 손해 ⇨ [   ]

5 주의를 기울이지 않아 일어나는 사고 ⇨ [   ]

8 낱말 퀴즈

🖊 빈칸에 알맞은 낱말을 주어진 글자 카드로 만들어 써 보세요.

| 관 | 극 | 사 | 시 | 심 | 적 | 제 |

1 우리는 공동의 ☐☐☐ 를 회의 주제로 정했다.
  관심을 끄는 일

2 이 문제에 대한 해결책을 ☐☐☐ 해 주시길 바랍니다.
  어떠한 생각을 말이나 글로 나타내어 보임.

3 회의를 할 때에는 모두가 ☐☐☐ 으로 참여해야 한다.
  대상에 대한 태도가 능동적이고 활발한 (것)

| 결 | 다 | 록 | 수 | 의 | 행 | 회 |

4 우리는 ☐☐☐ 의 원칙에 따라 규칙을 정했다.
  회의에서 많은 사람의 의견에 따라 정하는 일

5 지난 학급 회의 때 결정한 내용은 ☐☐☐ 에 기록되어 있다.
  회의의 진행 과정이나 내용, 결과 따위를 적은 기록

6 계획을 짜는 것도 중요하지만 ☐☐☐ 하는 것이 더 중요하다.
  생각하거나 계획한 대로 일을 해냄.

9 띄어쓰기 이번 주, 지난주

때를 나타내는 말인 '이번'과 '다음'은 '이번 주', '다음 해'와 같이 뒤에 오는 말과 띄어 써야 해요. 그러나 '지난주, 지난달, 지난해'는 한 낱말이므로 붙여 써야 하지요.

이번 주에 소풍을 간다.
두 개의 낱말

지난주에 소풍을 갔다.
하나의 낱말

✏️ 다음 문장에 알맞은 말을 찾아 ○표 하세요.

1 우리 (이번주 / 이번 주)에 등산 갈까?

2 학교에서 (다음주 / 다음 주)에 체험 학습을 간다.

3 우리 누나는 (다음해 / 다음 해)에 대학생이 된다.

4 할아버지께서 (지난달 / 지난 달)에 퇴원을 하셨다.

5 아파트 공사가 (이번달 / 이번 달) 초에 시작되었다.

6 (지난주 / 지난 주)에 미국에 사는 사촌이 한국에 왔다.

7 (지난해 / 지난 해) 여름 방학 때 해수욕장에 놀러 갔었다.

88

10 올바른 발음 좋아요[조아요]

흔히 글자의 받침소리는 뒤에 모음이 올 경우 그대로 옮겨져 발음되지만, '좋아요'와 같은 경우의 'ㅎ' 받침은 소리가 나지 않아요.

모음이 오면   옮겨져 발음됨.
먹을 것 → **[머글]** 것
받침 'ㄱ' 뒤에

모음이 오면
좋아요 → **[조아요]**
받침 'ㅎ' 뒤에   'ㅎ'이 사라짐.

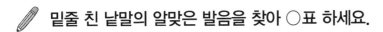

밑줄 친 낱말의 알맞은 발음을 찾아 ○표 하세요.

1 짐이 <u>많아서</u> 무겁다.   ⇨   [마나서]   [만하서]

2 체육관 뒤편에 <u>숨을</u> 것이다.   ⇨   [수물]   [수을]

3 교과서를 책상 위에 <u>올려놓아라</u>.   ⇨   [올려노아라]   [올려노하라]

4 나는 저녁에 치킨을 <u>먹을</u> 것이다.   ⇨   [머을]   [머글]

5 까치발을 하니 선반에 손이 <u>닿았다</u>.   ⇨   [다앋따]   [닿앋따]

6 나는 채소를 <u>싫어해서</u> 잘 안 먹는다.   ⇨   [시러해서]   [실허해서]

11 타교과 어휘 과학

✎ 빈칸에 알맞은 낱말을 써서 문장을 완성해 보세요.

1 처음에는 [ㄸ | ㅇ] 이 나오더니 이내 콩의 모습이 나타났다.

씨앗에서 싹이 트면서 최초로 나오는 잎

2 한 개의 [꼬 | 트 | 리] 속에는 완두콩 다섯 알이 줄줄이 들어 있다.

콩과 식물의 씨앗을 싸고 있는 껍질

3 오랫동안 비가 내리지 않아 봄에 뿌린 [ㅂ | ㅆ] 가 제대로 자라지 못하고 있다.

벼의 씨

4 어제 산에서 본 들꽃에 대해 알아보려고 [ㅅ | ㅁ | 도 | ㄱ] 을 찾아보았다.

식물의 모양, 생태 등의 자료를 모아 정리한 책

5 강낭콩은 [ㅎ | ㅎ | ㅅ | ㅇ] 식물로 그해 봄에 나서 그해 말이면 죽는다.

봄에 싹이 터서 그해 가을에 열매를 맺고 죽는 식물

6 사과나무는 [ㅇ | ㄹ | ㅎ | ㅅ | ㅇ] 식물로 여러 해 동안 죽지 않고 살아간다.

2년 이상 사는 식물

90

7 봄이 오자 나뭇가지에 푸른 ㅅ ㅅ 이 돋는다.

새로 돋아나는 연한 싹

8 이 포도는 새로운 ㅍ ㅈ 으로 맛이 매우 좋다.

같은 종의 생물을 그 특성에 따라 나눈 종류

9 운동선수들은 몸무게에 따라 ㅊ ㄱ 을 나누어 경기에 나간다.

권투, 레슬링, 유도 따위에서 선수의 몸무게에 따라 매겨진 등급

10 앞으로는 우주와 관련된 다양한 상품이 나올 것으로 ㅈ ㅁ 된다.

앞날을 헤아려 내다봄.

11 우주에는 ㅈ ㄹ 이 없어 물체를 들어도 무게가 느껴지지 않는다.

지구 위의 물체가 지구로부터 받는 힘

12 농사를 지을 때에는 지역의 기후에 알맞은 ㅈ ㅈ 를 선택하여 심어야 한다.

식물에서 나온 씨 또는 씨앗

다음 빈칸에 글자를 넣어 낱말을 완성하세요.

¹지 ☐ 이 | 관리하는 사람

² ☐ 회 | 회의를 시작함.

³관심 ☐ | 관심을 끄는 일

⁴ ☐ 의 | 여럿이 모여 의논함.

⁵제 ☐ | 안이나 의견으로 내놓음.

⁶수 ☐ | 생각하거나 계획한 대로 일을 해냄.

⁷참 ☐ | 모임이나 회의 따위의 자리에 참여함.

⁸ ☐ 력 | 지구 위의 물체가 지구로부터 받는 힘

⁹채 ☐ | 작품, 의견 따위를 골라서 다루거나 뽑아 씀.

¹⁰표 ☐ | 찬성과 반대 의견을 헤아려 다수결로 결정함.

정답　1. 킴　2. 개　3. 사　4. 회　5. 안　6. 행　7. 석　8. 중　9. 택　10. 결

11 ☐망 — 앞날을 헤아려 내다봄.

12 ☐자 — 식물에서 나온 씨 또는 씨앗

13 ☐다 — 거저 주는 것을 받아 가지다.

14 꼬☐리 — 콩과 식물의 씨앗을 싸고 있는 껍질

15 안☐사☐ — 주의를 기울이지 않아 일어나는 사고

16 ☐잎 — 씨앗에서 싹이 트면서 최초로 나오는 잎

17 ☐다 — 발견하거나 알아내려고 뒤지거나 살피다.

18 ☐절 — 상대편의 부탁을 받아들이지 않고 물리침.

19 품☐ — 같은 종의 생물을 그 특성에 따라 나눈 종류

20 ☐해☐이 — 봄에 싹이 터서 그해 가을에 열매를 맺고 죽는 식물

정답 11. 전 12. 종 13. 얻 14. 투 15. 전, 고 16. 떡 17. 찾 18. 거 19. 종 20. 한, 살

7장 사전은 내 친구

1 자주 쓰는 말   선을 긋다

'선을 긋다'라는 말은 '선을 그리다.'라는 말로 이해할 수 있어요. 그런데 이와 같은 말은 원래의 뜻 외에도 '허락하여 받아들이는 범위를 정하다.'라는 새로운 뜻으로 쓰이기도 해요.

관계에 **선을 긋다**.
허락하여 받아들이는 범위를 정하다.

✏️ 빈칸에 알맞은 말을 [보기]에서 찾아 써 보세요.

보기

선을 긋다   바람을 쐬다   숨을 거두다   자리를 잡다   정신이 없다

1 오랜 투병 끝에 [   ].
'죽다'를 다르게 이르는 말

2 공부를 하다가 잠시 [   ].
기분 전환을 위하여 바깥이나 딴 곳을 거닐다.

3 교내 체육 대회 준비로 [   ].
매우 바쁘다.

4 오랜 노력 끝에 음악 분야에서 [   ].
일정한 지위나 공간을 차지하다.

5 시험지의 답을 보여 달리는 친구의 밀에 [   ].
허락하여 받아들이는 범위를 정하다.

2 꾸며 주는 말 흠씬

'흠씬'은 '아주 꽉 차고도 남을 만큼 넉넉하게'라는 뜻으로 다른 말을 꾸며 주어요.

좋은 냄새가 (흠씬) 풍기다.
꾸며 줌.

✏️ 빈칸에 알맞은 낱말을 [보기]에서 찾아 써 보세요.

보기

마치   온갖   자꾸   흔히   흠씬   엄연히

① 산에 올라 맑은 공기를 [   ] 마셨다.
아주 꽉 차고도 남을 만큼 넉넉하게

② 목감기가 들어서 [   ] 기침이 나온다.
여러 번 반복하거나 끊임없이 계속하여

③ [   ] 정성을 기울여 음식을 만들었다.
이런저런 여러 가지의

④ 그런 옷은 길거리에서 [   ] 볼 수 있다.
보통보다 더 자주 일어나서 쉽게 접할 수 있게

⑤ 우리 엄마는 [   ] 꾀꼬리처럼 목소리가 곱다.
거의 비슷하게

⑥ 나와 내 동생은 닮지는 않았지만 [   ] 친형제이다.
어떤 사실이나 현상이 매우 뚜렷하게

95

3 주제별 어휘 1 자연과 현상

사람의 힘이 더해지지 아니하고 저절로 생겨난 환경을 가리켜 '자연'이라고 해요. 자연에는 사람의 의지와는 상관없이 여러 현상들이 일어나고 있어요.

🖊 다음 낱말이 들어가기에 알맞은 문장을 찾아 연결하고, 바르게 써 보세요.

1 고원 •

높은 곳에 있는 넓은 벌판

• 그 산은 단단한 ☐☐ 으로 뒤덮여 있다.

2 암석 •

바윗돌

• 물의 ☐☐ 작용으로 인해 땅이 깎였다.

3 침식 •

물이나 바람에 땅이 깎이는 일

• 강 하류에 강물에 실려 온 흙이 ☐☐ 되었다.

4 퇴적 •

암석이나 흙이 물, 바람에 옮겨져 쌓이는 일

• 숲속 길을 한참을 올라가니 드넓은 ☐☐ 이 펼쳐졌다.

5 협곡 •

산 사이의 좁고 험한 골짜기

• 이곳은 산 사이에 험한 ☐☐ 이 많아 지형이 아주 복잡하다.

4 주제별 어휘 2 우주

'우주'는 무한한 시간과 세상에 있는 모든 것을 포함하고 있는 끝없는 공간을 이르는 말이에요. 사람들은 오랫동안 신비한 우주를 탐구하기 위해 노력해 왔어요.

🖉 빈칸에 알맞은 낱말을 [보기]에서 찾아 써 보세요.

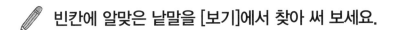

보기

| 관측 | 궤도 | 천체 | 화성 | 외계인 | 탐사선 |

1 망원경으로 [　　　　]를 관찰하였다.
　　　우주에 있는 모든 물체

2 [　　　　]은 지구 다음으로 태양과 가까운 행성이다.
　태양에서 넷째로 가까운 행성

3 별의 움직임에 대한 [　　　　] 보고서를 작성하였다.
　　　　　자연 현상 특히 우주의 물체 따위를 관찰하여 측정하는 일

4 저녁 뉴스에서 [　　　　]이 찍은 달의 모습을 보았다.
　　　지구니 다른 행성들을 조사하기 위해 우주에 쏘아 올린 비행 물체

5 그 영화에는 비행접시를 타고 온 [　　　　]이 나왔다.
　　　　　　　지구 이외의 곳에 존재한다고 생각되는 인간과 비슷한 생명체

6 지구의 [　　　　] 위로 인공위성을 성공적으로 쏘아 올렸다.
　행성, 인공위성 따위가 다른 물체의 둘레를 돌면서 그리는 곡선의 길

97

'기술'은 과학 이론을 실제로 적용하여 사물을 인간 생활에 쓸모가 있도록 만드는 방법이에요. 기술이 발달함에 따라 인간의 삶은 더욱 풍요롭고 윤택해졌어요.

✎ 밑줄 친 낱말에 알맞은 뜻을 찾아 연결하세요.

1 이것은 <u>특수</u> 제작된 장갑이다. • • 특별히 다름.

2 그 로봇은 <u>원격</u>으로 조종할 수 있다. • • 멀리 떨어져 있음.

3 그 회사는 신제품 <u>개발</u>에 힘을 쓰고 있다. • • 시대나 유행의 맨 앞

4 이 핸드폰에는 <u>최첨단</u> 기술이 적용되었다. • • 물품 따위가 일상적으로 쓰이게 됨.

5 과학의 <u>발전</u>은 우리 삶을 풍요롭게 해 주었다. • • 더 낫고 좋은 상태나 더 높은 단계로 나아감.

6 신약의 <u>상용화</u>를 위한 실험이 성공적으로 끝났다. • • 새로운 물건을 만들거나 새로운 생각을 내어놓음.

6 바꿔 쓸 수 있는 말 변두리

'변두리'는 '어떤 지역의 가장자리가 되는 곳'이라는 뜻으로 '교외'와 비슷한 뜻을 가지고 있어요. 이와 같이 비슷한 뜻을 가진 낱말끼리는 서로 바꿔 쓸 수도 있어요.

[변두리 / 교외]로 나들이를 갔다.
바꿔쓸 수 있음.

밑줄 친 낱말과 바꿔 쓸 수 있는 낱말을 [보기]에서 찾아 써 보세요.

보기

| 경시 | 고유 | 공급 | 교외 | 행실 | 푸대접 |

1 친구의 냉대에 속상했다.
정성을 들이지 않고 아무렇게나 하는 대접

⇨ [   ]

2 바이올린은 특유의 음색이 좋다.
일정한 사물만이 특별히 갖추고 있음.

⇨ [   ]

3 무시를 당해서 기분이 나쁘다.
사람을 깔보거나 업신여김.

⇨ [   ]

4 경수는 바른 몸가짐을 지녔다.
몸의 움직임. 또는 몸을 거두는 일

⇨ [   ]

5 그는 서울 변두리 지역에 산다.
어떤 지역의 가장자리가 되는 곳

⇨ [   ]

6 전쟁 중에는 식량 보급이 중요하다.
물건이나 돈 따위를 계속해서 대어 줌.

⇨ [   ]

7 뜻이 반대인 말 유명/무명

'유명'은 '이름이 널리 알려져 있음.'을 뜻하는 말이에요. 반면에 '무명'은 '이름이 널리 알려지지 않음.'을 뜻하는 말이에요. 두 낱말은 서로 반대되는 뜻을 가지고 있어요.

그녀는 유명 가수이다. ⇄ **그녀는 무명 가수이다.**
이름이 널리 알려져 있음.   이름이 널리 알려지지 않음.

✎ 밑줄 친 낱말과 뜻이 반대인 낱말을 찾아 연결하세요.

1 그는 유명 작곡가이다.
이름이 널리 알려져 있음.

배출

2 식물은 줄기로 물을 흡수한다.
밖의 것을 안으로 빨아들임.

후손

3 조상들의 지혜를 본받아야 한다.
한 가족의 여러 대에서 할아버지보다 먼저 산 사람

무명

4 오늘날 휴대 전화는 일반화되었다.
특별하던 것이 일반적인 것으로 됨.

이륙

5 착륙 시에는 반드시 안전벨트를 매야 한다.
비행기가 공중에서 땅에 내림.

특수화

8 헷갈리기 쉬운 말 받치다/밭치다

'받치다'는 '물건의 밑이나 옆 따위에 다른 물체를 대다.'라는 의미이고, '밭치다'는 '구멍이 뚫린 물건 위에 국수나 야채 따위를 올려 물기를 빼다.'라는 의미예요.

| 공책에 책받침을 **받치다.** | 국수를 체에 **밭치다.** |
| 받치다(×) | 받치다(×) |

🖉 주어진 뜻을 참고하여 문장에 어울리는 낱말을 찾아 ○표 하세요.

받치다	물건의 밑이나 옆 따위에 다른 물체를 대다.
밭치다	구멍이 뚫린 물건 위에 국수나 야채 따위를 올려 물기를 빼다.

1 쟁반에 커피를 (받치다 / 밭치다).

2 그릇을 조심조심 두 손으로 (받치다 / 밭치다).

3 삶은 국수를 찬물에 헹군 후 체에 (받치다 / 밭치다).

달이다	물을 부어 우러나도록 끓이다.
다리다	옷의 구김을 펴기 위하여 다리미로 문지르다.

4 한약을 (다리다 / 달이다).

5 다리미로 셔츠를 (다리다 / 달이다).

6 어린 찻잎으로 차를 (다리다 / 달이다).

9 뜻을 더하는 말 -지

'-지'는 '종이'의 뜻을 더하는 말이에요. '벽지'는 '벽에 바르는 종이'를 뜻해요.

🖉 그림에 알맞은 낱말을 [보기]에서 찾아 써 보세요.

보기
벽지   색지   포장지   창호지

①
벽에 바르는 종이

②
여러 색깔로 물들인 종이

③
물건을 싸거나 꾸리는 데 쓰는 종이

④
주로 문을 바르는 데 쓰는 얇은 종이

10 띄어쓰기

'이해를 하다'가 '이해하다'로 되는 것처럼 낱말과 낱말이 만나 하나의 낱말이 될 때에는 붙여 써야 해요.

✎ 다음 문장을 주어진 횟수에 따라 바르게 띄어 써 보세요.

1 가위를사용해서종이를잘라요. (3회)

가	위	를							

2 매일매일운동하기가힘들어요. (2회)

매	일	매	일						

3 이문제가드디어이해되었어요. (3회)

이		문	제	가					

4 물이모두스펀지에흡수되었어요. (3회)

물	이								

103

타교과 어휘 도덕

🖉 빈칸에 알맞은 낱말을 써서 문장을 완성해 보세요.

① 가까운 친구일수록 서로 | 조 | 중 | 해야 한다.
아주 귀중하게 여기는 것

② | 공 | 공 | 장 | 소 | 에서는 큰 소리로 떠들면 안 된다.
여러 사람이 함께 이용하는 곳

③ 진희는 항상 | 다 | 정 | 하게 인사를 해 주어서 기분이 좋다.
정이 많고 마음이 따뜻함.

④ 나와 영희는 둘 다 그림에 관심이 있어 서로 | 소 | 통 | 이 잘된다.
뜻이나 생각이 서로 잘 통함.

⑤ 새해 첫날 나와 내 동생은 할머니와 할아버지께 | 세 | 배 | 를 드렸다.
설에 웃어른께 드리는 큰 절

⑥ 선생님을 마주칠 때 인사를 하는 것은 | 예 | 절 | 을 잘 지키는 것이다.
예의에 관한 모든 절차나 질서

✏️ 밑줄 친 낱말에 알맞은 뜻을 찾아 연결하세요.

① 상황에 알맞은 말을
해야 한다.

몹시 부끄러움.

② 동료끼리 서로 도우며
일을 해야 한다.

마음의 자세나 태도

③ 웃어른에게는 높임말을
바르게 써야 한다.

약속을 지키려고
정한 규칙

④ 나 혼자만 준비물을 챙기지
않아서 창피했다.

일이 되어 가는
과정이나 형편

⑤ 옛 물건들에는 우리 민족의
정신이 담겨 있다.

같은 직장에서 함께
일하는 사람

⑥ 나는 예절 헌장을 만들어
잘 지키도록 노력할 것이다.

사람이나 사물을
높여서 이르는 말

변두리

어떤 지역의 가장자리가 되는 곳

㉘ 많은 공장들이 도심에서 □□□로 옮아갔다.

고원

높은 곳에 있는 넓은 벌판

㉘ □□은 평지보다 일반적으로 기온이 더 낮다.

정신이 없다

매우 바쁘다.

㉘ 많은 양의 음식을 준비하느라 □□□□□□.

엄연히

사실이나 현상이 매우 뚜렷하게

㉘ 나는 동생보다 키가 작지만 □□□ 내가 형이다.

원격

멀리 떨어져 있음.

㉘ 나는 인터넷을 통해 □□으로 보충 수업을 듣는다.

상용화

물품 따위가 일상적으로 쓰이게 됨.

㉘ 이 약이 □□□ 되면 많은 사람들이 고통에서 벗어날 것이다.

협곡

산 사이의 좁고 험한 골짜기

㉘ 구름다리 위에서 □□을 내려다보니 아름다우면서도 아찔했다.

관측

자연 현상 특히 우주의 물체 따위를 관찰하여 측정하는 일

㉘ 아빠와 함께 천문대에서 별을 □□했다.

냉대

정성을 들이지 않고 아무렇게나 하는 대접

(예) 그는 친구의 ☐☐가 섭섭했다.

다리다

옷의 구김을 펴기 위하여 다리미로 문지르다.

(예) 엄마는 다리미로 옷을 ☐☐고 계신다.

받치다

물건의 밑이나 옆 따위에 다른 물체를 대다.

(예) 컵을 쟁반으로 ☐☐고 조심조심 걸어갔다.

소통

뜻이나 생각이 서로 잘 통함.

(예) 우리 가족은 서로 간의 ☐☐이 잘 이루어진다.

특유

일정한 사물만이 특별히 갖추고 있음.

(예) 영수는 ☐☐의 유머로 주변 친구들을 즐겁게 했다.

정신

마음의 자세나 태도

(예) 줄다리기는 협동 ☐☐을 기르는 데 좋은 놀이이다.

달이다

물을 부어 우러나도록 끓이다.

(예) 할머니는 산에서 캐 온 약초를 정성껏 ☐☐고 계신다.

밭치다

구멍이 뚫린 물건 위에 국수나 야채 따위를 올려 물기를 빼다.

(예) 상추를 씻어 채반에 ☐쳤다.

8장 이런 제안 어때요

1 주제별 어휘 1 제안

문제를 해결하기 위해 의견을 내놓는 것을 '제안'이라고 해요. 제안은 받아들이는 사람에 따라 표현 방법을 달리 해야 의견을 효과적으로 전달할 수 있어요.

✏️ 빈칸에 알맞은 낱말을 써서 문장을 완성해 보세요.

❶ 그는 자신의 ㅈ 자 만을 고집하였다.
　　자신의 의견을 굳게 내세우는 것

❷ 경찰의 서 ㄷ 으로 범인은 자수를 결심했다.
　　잘 타일러서 이해시켜 따르게 하는 것

❸ 함께 일을 해 보자는 ㅈ 아 에 응하기로 했다.
　　문제를 해결하기 위해 의견을 내놓는 것

❹ 나는 선생님께 배가 아프다고 ㅎ 를 하였다.
　　어렵거나 억울한 사정을 알려 도움을 청하는 것

❺ 이번 방학에 귀 자 도서를 열 권 읽는 것이 나의 목표이다.
　　어떠한 일을 하라고 권하고 북돋아 주는 것

❻ 나한테 어려운 ㅂ ㅌ 이 들어왔는데 어떻게 해야 할지 모르겠다.
　　어떤 일을 해 달라고 하거나 맡김.

108

2 주제별 어휘 2 물

물은 바닷물·강물·지하수·빗물 등의 상태로 존재하며, 지구 표면의 4분의 3을 차지하고 있어요. 생물이 살아가는 데 있어 가장 중요한 것이 물이라고 할 수 있지요.

🖉 빈칸에 알맞은 낱말을 [보기]에서 찾아 써 보세요.

보기
샘   식수   우물   정수   음료수

물을 깨끗하고
맑게 함.

물을 긷기 위하여
땅을 파서 지하수를
고이게 한 곳

물
강, 호수, 바다, 지하수
따위의 형태로 널리
있는 액체

먹을 용도의 물

물이 땅에서
솟아 나오는 곳.
또는 그 물

사람이 맛을 즐길 수
있도록 만든
마실 거리

22일

월

일

3 뜻을 더하는 말 -인

'-인'은 낱말의 뒷부분에 붙어 '사람'이라는 뜻을 더해 주는 말이에요.

지식 + -인 → **지식인**	종교 + -인 → **종교인**
지식을 갖춘 사람	종교를 가진 사람

🖉 다음 밑줄 친 말을 하나의 낱말로 바꿔 써 보세요.

① 감옥에 갇힌 사람은 <u>감시하는 사람</u>을 볼 수 없다. ⇨ ㄱ | ㅅ | 인

② 이번 축제에는 <u>음악을 즐기는 사람</u>이 많이 참석했다. ⇨ ㅇ | ㅇ | 인

③ <u>지식을 갖춘 사람</u>이라면 마땅히 알고 있을 내용이다. ⇨ ㅈ | ㅅ | 인

④ <u>한국 국적을 가진 사람</u>은 예의를 중요하게 생각한다. ⇨ ㅎ | ㄱ | 인

⑤ 나는 <u>우주 비행을 위해 훈련을 받은 사람</u>이 되고 싶다. ⇨ ㅇ | ㅈ | 인

⑥ <u>지구에 사는 사람</u> 중 최초로 달에 간 사람은 암스트롱이다. ⇨ ㅈ | ㄱ | 인

4 쓰임을 바꾸는 말 –기

'–기'는 움직임을 나타내는 말에 붙어 그 말이 다른 기능을 하도록 바꿔 주는 말이에요.

잃어버린 물건을 **찾다**. → 물건 **찾기**에 실패하다.
쓰임이 바뀜.

✏️ 주어진 낱말을 빈칸에 알맞게 고쳐 써 보세요.

1 쓰다 ⇨ 일기를 매일 ☐☐ 가 쉽지 않다.

2 읽다 ⇨ 어두운 데서는 책을 ☐☐ 가 힘들다.

3 달리다 ⇨ 슬리퍼를 신고 ☐☐☐ 가 어렵다.

4 먹다 ⇨ 떡이 너무 커서 한입에 ☐☐ 가 어렵다.

5 놀다 ⇨ 내 동생은 공부는 안 하고 ☐☐ 만 한다.

6 보다 ⇨ 그 음식은 ☐☐ 에는 맛있어 보이지만 맛이 없다.

5 형태는 같은데 뜻이 다른 말 1 사고

'뜻밖에 일어난 불행한 일'을 나타내는 말도 '사고'라고 쓰지만 '생각하고 궁리함.'을 나타내는 말도 '사고'라고 써요.

🖉 빈칸에 공통으로 들어갈 낱말을 써 보세요.

1
ㅅ ㄱ

① 자동차 ⬜⬜가 많이 줄었다.
뜻밖에 일어난 불행한 일

② ⬜⬜ 능력은 성공과 관련이 깊다.
생각하고 궁리함.

2
ㄴ

① 마당에 ⬜이 많이 쌓였다.
공기 중의 수증기가 얼어서 떨어지는 얼음의 결정체

② ⬜이 불편해서 자꾸 깜빡거렸다.
물체를 볼 수 있는 몸의 감각 기관

3
ㄷ ㄹ

① 많은 차들이 한강 ⬜⬜를 건너고 있었다.
건너다닐 수 있도록 만든 시설물

② 무리해서 운동을 했더니 ⬜⬜에 쥐가 났다.
사람이나 동물의 몸통 아랫부분

4
ㅇ ㄹ

① ⬜⬜ 오늘 숙제를 같이 할까?
말하는 이가 자기와 자기편 사람들을 가리키는 말

② ⬜⬜에 있는 토끼에게 당근을 주었다.
짐승을 가두어 기르는 곳

6 형태는 같은데 뜻이 다른 말 2 자라다

'키가 **자라다**.'와 '천장에 손이 **자라다**.'에 쓰인 '자라다'는 우연히도 낱말의 형태가 같은 것일 뿐, 전혀 다른 뜻의 낱말이에요.

키가 **자라다**. 크기나 부피가 커지다.	천장에 손이 **자라다**. 뻗어서 미치거나 닿다.

🖊 밑줄 친 낱말의 알맞은 뜻을 [보기]에서 찾아 기호를 써 보세요.

보기

㉠ **자라다**¹ 생물체의 크기나 부피가 커지다.

㉡ **자라다**² 일정한 지점을 향해 뻗어서 미치거나 닿다.

① 까치발을 해야 겨우 선반에 손이 <u>자란다</u>. ⇨ ☐

② 한 달도 되지 않아 머리카락이 길게 <u>자랐다</u>. ⇨ ☐

③ 뜨거운 햇볕을 받은 벼들이 무럭무럭 <u>자란다</u>. ⇨ ☐

④ 방학이 지나고 나니, 키가 2센티미터나 <u>자랐다</u>. ⇨ ☐

⑤ 구석에 떨어진 동전을 잡으려 해도 팔이 <u>자라지</u> 않았다. ⇨ ☐

⑥ 공중에 뜬 공을 잡으려다가 손이 <u>자라지</u> 않아 놓치고 말았다. ⇨ ☐

113

7 색깔을 나타내는 말 푸르다

우리말에는 색깔을 나타내는 말이 다양해요. 영어에서는 푸른빛을 띠는 색을 모두 'blue(블루)'로 표현하지만, 우리말에서는 '푸르다, 푸르스름하다, 푸르뎅뎅하다' 등과 같이 색을 세밀하게 구분하지요.

✏️ 비슷한 색깔을 나타내는 낱말끼리 나누어 써 보세요.

새파랗다

푸르뎅뎅하다

푸르스름하다

새빨갛다

불그죽죽하다

시퍼렇다

시뻘겋다

불그스름하다

파랗다

빨갛다

꺼무뎅뎅하다

누르뎅뎅하다

노르스름하다

새까맣다

꺼무스름하다

시꺼멓다

샛노랗다

싯누렇다

노랗다

까맣다

114

8 낱말 퀴즈

23일

🖉 빈칸에 알맞은 낱말을 주어진 글자 카드로 만들어 써 보세요.

| 개 | 소 | 병 | 염 | 오 | 질 |

월
일

① [   ]이 된 물을 마시고 배가 아팠다.
더럽게 물듦.

② 작가 [   ]를 보니 이 책에 대한 관심이 생겼다.
모르는 사실이나 내용을 잘 알게 해 주는 설명

③ [   ]을 예방하기 위해서는 손을 깨끗하게 씻어야 한다.
몸의 온갖 병

| 검 | 골 | 관 | 목 | 색 | 습 |

④ 나는 일찍 일어나는 [   ]을 가지고 있다.
어떤 행위를 오랫동인 되풀이히는 동안에 저절로 굳어진 버릇

⑤ 우리 집 앞 [   ]에서 아이들이 놀고 있다.
집들 사이로 나 있는 좁은 길

⑥ 나는 모르는 내용은 인터넷으로 [   ]을 한다.
책이나 컴퓨터에서 자료들을 찾아내는 일

115

9 헷갈리기 쉬운 말 흐트러지다 / 흩어지다

'흐트러지다'는 '여러 가닥으로 흩어져 이리저리 얽히다.'라는 의미이고, '흩어지다'는 '한데 모였던 것이 따로따로 떨어지거나 사방으로 퍼지다.'라는 의미예요.

<table>
<tr><td>머리카락이 흐트러지다.
흩어지다(×)</td><td>사방으로 흩어지다.
흐트러지다(×)</td></tr>
</table>

✎ 주어진 뜻을 참고하여 문장에 어울리는 낱말을 찾아 ○표 하세요.

흐트러지다	여러 가닥으로 흩어져 이리저리 얽히다.
흩어지다	한데 모였던 것이 따로따로 떨어지거나 사방으로 퍼지다.

① 가족과 뿔뿔이 (흩어지다 / 흐트러지다).

② 책상 위의 책들이 (흩어지다 / 흐트러지다).

③ 그들은 사방으로 (흩어져 / 흐트러져) 범인을 찾기로 했다.

벌이다	일을 계획하여 시작하거나 펼쳐 놓다.
버리다	지니고 있을 필요가 없는 물건을 내던지거나 쏟거나 하다.

④ 동네잔치를 (버리다 / 벌이다).

⑤ 쓰레기를 쓰레기통에 (버리다 / 벌이다).

⑥ 백화점에서 할인 판매 행사를 (버린다 / 벌인다).

한자로 이루어진 말 과(過)—

'과(過)'는 '지나치다'라는 뜻의 한자예요. '과(過)'를 포함하고 있는 낱말들은 '초과하다'나 '넘치다'와 같이 한계를 넘어선다는 뜻을 가지고 있어요.

> **과식(過食)**: 지나치게 많이 먹음.
> 지나치다

🖊 주어진 뜻에 알맞은 낱말을 [보기]에서 찾아 써 보세요.

보기

| 과대 | 과민 | 과속 | 과식 | 과열 | 과찬 |

❶ 지나치게 뜨거워짐.　　　　⇨ ☐

❷ 정도가 지나치게 큼.　　　　⇨ ☐

❸ 지나치게 많이 먹음.　　　　⇨ ☐

❹ 지나치게 칭찬함. 또는 그린 칭찬　　⇨ ☐

❺ 감각이나 감정이 지나치게 예민함.　　⇨ ☐

❻ 자동차 따위의 주행 속도를 너무 빠르게 함.　　⇨ ☐

11 타교과 어휘 사회

🖊 빈칸에 알맞은 낱말을 써서 문장을 완성해 보세요.

1 나는 학생증을 잃어버려서 다시 바 그 을 받았다.

증명서 따위를 만들어 주는 것

2 정월 대보름에 잡곡밥을 먹는 것은 우리 민족의 푸 ㅅ 이다.

옛날부터 그 사회에 전해 오는
생활 전반에 걸친 습관

3 추석에 우리 가족은 ㅅ ㅁ 를 하러 할아버지의 산소를 찾았다.

조상의 산소를 찾아가서 돌봄.

4 명절에는 큰아버지 댁에서 온 가족이 모여 ㅊ ㄹ 를 지낸다.

설날이나 추석과 같은 명절에 조상에게 올리는 제사

5 우리 조상들은 ㅇ ㄷ 을 방바닥에 깔아 겨울을 따뜻하게 보낼 수 있었다.

방바닥 아래에 넓은 돌을 여러 개 놓고
따뜻하게 데우는 난방 방법

6 주민들의 ㅁ ㅇ 을 신속하게 처리하기 위해 구청의 직원들이 노력하고 있다.

주민이 행정 기관에 하는 요구

118

7 새로 이사를 해서 [ㅈ][ㅇ] 신고를 하러 동사무소에 갔다.

이전에 살던 곳에서 새로운 곳으로 옮겨 오는 것

8 그는 몇 가지 [ㅅ][ㄹ] 를 들어 자신의 생각이 옳다고 주장했다.

어떤 일이 전에 실제로 일어난 예

9 쓰레기 처리장을 만들어도 좋다는 주민들의 [ㅅ][ㄴ] 을 얻었다.

청하는 바를 들어줌.

10 그 건물은 [ㄴ][후][ㅎ] 되어 비가 오면 천장 곳곳에서 물이 샌다.

오래되거나 낡아서 쓸모가 없게 됨.

11 도로가 차들로 [호][ㅈ] 할 때에는 지하철을 이용하는 것이 편리하다.

여럿이 한데 뒤섞이어 어수선함.

12 우리 지역에는 [고][여] 도서관이 여러 군데 있어 책을 쉽게 빌려 볼 수 있다.

국가나 공동 단체에서 관리하고 운영하는 것

119

어휘력을 높이는 확인 학습

다음 빈칸에 글자를 넣어 낱말을 완성하세요.

1 ☐병   몸의 온갖 병

2 음☐인   음악을 즐기는 사람

3 ☐수   물을 깨끗하고 맑게 함.

4 ☐목   집들 사이로 나 있는 좁은 길

5 지☐인   지식을 갖춘 사람

6 ☐트러지다   여러 가닥으로 흩어져 이리저리 얽히다.

7 검☐   책이나 컴퓨터에서 자료들을 찾아내는 일

8 ☐물   물을 긷기 위하여 땅을 파서 지하수를 고이게 한 곳

9 ☐어지다   한데 모였던 것이 따로따로 떨어지거나 사방으로 퍼지다.

10 ☐관   어떤 행위를 오랫동안 되풀이하는 동안에 저절로 굳어진 버릇

정답   1. 질   2. 악   3. 정   4. 골   5. 식   6. 흐   7. 색   8. 우   9. 흩   10. 습

¹¹과⬜   지나치게 많이 먹음.

¹²⬜급   증명서 따위를 만들어 주는 것

¹³⬜잡   여럿이 한데 뒤섞이어 어수선함.

¹⁴과⬜   감각이나 감정이 지나치게 예민함.

¹⁵노⬜화   오래되거나 낡아서 쓸모가 없게 됨.

¹⁶벌⬜다   일을 계획하여 시작하거나 펼쳐 놓다.

¹⁷공⬜   국가나 공공 단체에서 관리하고 운영하는 것

¹⁸⬜입   이전에 살던 곳에서 새로운 곳으로 옮겨 오는 것

¹⁹버⬜다   지니고 있을 필요가 없는 물건을 내던지거나 쏟거나 하다.

²⁰온⬜   방바닥 아래에 넓은 돌을 여러 개 놓고 따뜻하게 데우는 난방 방법

정답   11. 식   12. 발   13. 혼   14. 민   15. 후   16. 이   17. 영   18. 전   19. 리   20. 돌

📖 국어 교과서 246~273쪽

1 주제별 어휘 1 한글

'한글'은 '우리나라 고유의 문자 이름'을 나타내는 말이에요. 세종 대왕은 글을 모르는 백성들을 위해 발음 기관과 우주의 형상을 본떠 소리글자인 한글을 만들었지요.

🖉 주어진 낱말에 알맞은 뜻을 찾아 연결하세요.

1 음절　　　•

　　　•　글을 읽거나 쓸 줄 모름.

2 문맹　　　•

　　　•　사람의 발음 기관을 통해 나는
　　　　　구체적인 소리

3 문자　　　•

　　　•　인간의 언어를 적는 데 사용하는
　　　　　것으로 한자, 한글 따위의 기호

4 음소　　　•

　　　•　하나의 종합된 음의 느낌을 주는
　　　　　말소리의 단위. '한글'의 '한'과
　　　　　'글' 따위임.

5 말소리　　•

　　　•　더 이상 작게 나눌 수 없는
　　　　　최소의 말소리의 단위.
　　　　　'글'의 'ㄱ', 'ㅡ', 'ㄹ' 따위임.

✏️ **주어진 글을 참고하여 빈칸에 들어갈 낱자를 [보기]에서 찾아 써 보세요.**

한글 모음자는 하늘(•), 땅(ㅡ), 사람(ㅣ)을 본떠 만들었고, 한글 자음자는 발음 기관의 모양을 본떠 기본 문자를 만들었다. 기본 자음자에 획을 더하면 거센소릿자가 되고 기본 자음자를 겹쳐 쓰면 된소릿자가 된다.

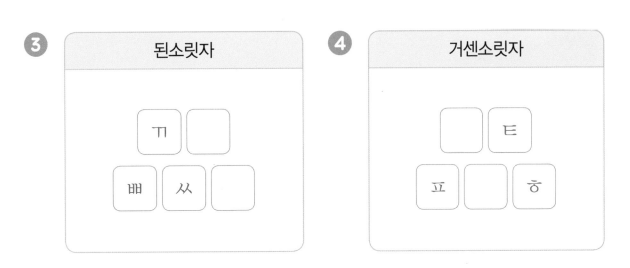

2 주제별 어휘 2 임금

'임금'은 '옛날에 나라를 다스리던 사람'을 가리키는 말이에요. 한 나라에서 가장 큰 힘을 가진 임금은 궁궐에 머물면서 다른 이들로부터 최고의 대우를 받았다고 해요.

✏️ 빈칸에 알맞은 낱말을 [보기]에서 찾아 써 보세요.

보기

과인   궁궐   신하   어의   전하

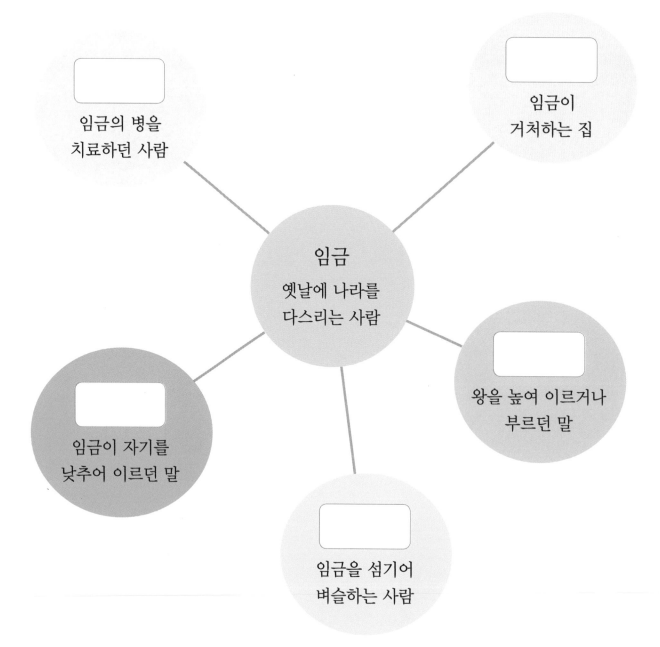

임금의 병을
치료하던 사람

임금이
거처하는 집

임금
옛날에 나라를
다스리는 사람

임금이 자기를
낮추어 이르던 말

왕을 높여 이르거나
부르던 말

임금을 섬기어
벼슬하는 사람

3 뜻이 여러 가지인 말 풀다

'풀다'는 '끈을 풀다.'와 같이 '묶인 것을 그렇지 않은 상태로 되게 하다.'라는 뜻으로 쓰이는 말이에요. 그런데 이와 같은 기본적인 뜻과는 조금 다른 의미로 사용되기도 해요.

25일

월

일

밑줄 친 낱말에 알맞은 뜻을 찾아 연결하세요.

① 화를 풀다. ● ● 마음에 품고 있는 것을 이루다.

② 운동화 끈을 풀다. ● ● 생각이나 이야기 따위를 말하다.

③ 오랜 소원을 풀다. ● ● 일어난 감정 따위를 터뜨려 누그러뜨리다.

④ 어려운 수학 문제를 풀다. ● ● 묶인 것 따위를 그렇지 아니한 상태로 되게 하다.

⑤ 자신의 지난 이야기를 풀다. ● ● 모르거나 복잡한 문제 따위를 알아내거나 해결하다.

125

4 올바른 표현 렬/열, 률/율

✏️ 빈칸에 알맞은 낱말을 찾아 ○표 하고, 바르게 써 보세요.

1 그해에는 [ ]이 높았다.
태어난 사람의 수가 전체 인구에 대하여 차지하는 비율
⇨ 출생률   출생율

2 우리나라는 [ ]이 낮다.
글을 읽거나 쓸 줄 모르는 사람의 비율
⇨ 문맹률   문맹율

3 군인들의 [ ]이 지나간다.
여럿이 줄지어 감. 또는 그런 줄
⇨ 행렬   행열

4 이 저금은 [ ]이 매우 높다.
원금에 대한 이자의 비율
⇨ 이자률   이자율

5 우리 반은 [ ]이 매우 높다.
출석하여야 할 사람 수에 대해서
실제로 출석한 사람의 비율
⇨ 출석률   출석율

6 공포 영화를 보고 온몸에 [ ]을 느꼈다.
매우 무섭거나 두려워 몸이 떨림.
⇨ 전률   전율

126

S 띄어쓰기 먹고살다, 먹고 살다

'생계를 유지하다.'라는 뜻의 '먹고살다'는 붙여 써야 하고, '먹다'와 '살다'의 의미가 남아 있는 경우에는 '먹고 살다'처럼 띄어 써야 해요.

그는 품팔이로 겨우 **먹고산다**.
생계를 유지한다는 의미일 때

토끼는 풀을 **먹고 산다**.
'먹다'와 '살다'의 의미일 때

✏️ 밑줄 친 부분을 붙여 써야 하는 것은 ⌒, 띄어 써야 하는 것은 ∨표 하세요.

1

☐

판다는 대나무를 <u>먹고산다</u>.

2

☐

보물만 찾으면 십 년은 <u>먹고산다</u>.

3

☐

한국인은 밥을 주식으로 <u>먹고산다</u>.

4

☐

그는 노동을 하며 하루하루 <u>먹고산다</u>.

6 두 가지 형태가 모두 쓰이는 말 자장면

그동안은 '자장면'만을 표준어로 인정했어요. 하지만 사람들이 '짜장면'이라고 쓰는 경우가 많아서 '자장면'과 '짜장면'을 모두 쓸 수 있도록 했어요.

중국집에서 [**자장면 / 짜장면**]을 먹었다.
모두 표준어로 인정함.

✏ 알맞은 표준어를 찾아 모두 ○표 하세요.

① 예쁘다 / 이삐다 / 이쁘다

② 자장면 / 짜장면 / 자짱면

③ 태견 / 태껸 / 택견

④ 보조개 / 볼자국 / 볼우물

7 움직임을 나타내는 말 게을리하다

누군가의 행동을 나타내는 말인 '게을리하다'는 '움직이거나 일하기를 몹시 싫어하여 제대로 하지 않다.'라는 뜻을 가진 말이에요.

동생이 숙제를 **게을리하다**.
'동생'의 행동을 나타냄.

✏️ 밑줄 친 부분의 글자 순서를 바르게 고쳐 써 보세요.

1 실수로 잘못을 <u>지르저다</u>.
죄를 짓거나 잘못이 생겨나게 행동하다.

⇨ [   ]

2 동생의 잘못을 <u>치깨우다</u>.
깨달아 알게 하다.

⇨ [   ]

3 귀찮아서 청소를 <u>게하리을다</u>.
움직이거나 일하기를 몹시 싫어하여 제대로 하지 않다.

⇨ [   ]

4 안내 방송에 주의를 <u>다기울이</u>.
정성이나 노력 따위를 한 곳으로 모으다.

⇨ [   ]

5 언니가 좋아하는 피자도 <u>하다마다</u>.
거절하거나 싫다고 하다.

⇨ [   ]

6 기차 시간을 맞추기 위해 <u>두서르다</u>.
일을 빠르게 해치우려고 급하게 움직이다.

⇨ [   ]

8 잘못 쓰기 쉬운 말 보따리

'보자기에 물건을 싸서 꾸린 뭉치'는 '보따리'라고 써요. '봇따리'라고 쓰지 않도록 주의해야 해요.

✏️ 다음 문장에 알맞은 낱말을 찾아 ○표 하세요.

① 좋은 (글구 / 글귀)를 수첩에 적어 두었다.
  글의 구나 절

② 할아버지는 (두루마기 / 두르마기)를 즐겨 입으신다.
  우리나라 고유의 웃옷

③ 선생님은 시의 좋은 (구절 / 귀절)을 많이 알고 계신다.
  한 토막의 말이나 글

④ 할머니는 집에 오시자마자 (보따리 / 봇다리)를 풀었다.
  보자기에 물건을 싸서 꾸린 뭉치

⑤ 지영이는 나랑 싸운 이후 (며칠 / 몇일) 동안 말이 없었다.
  몇 날

⑥ 흰색으로 칠한 이 울타리는 (본대 / 본디) 무슨 색이었는지 모르겠다.
  원래. 처음부터

130

9 낱말 퀴즈

✏ 빈칸에 알맞은 낱말을 찾아 ○표 하고, 바르게 써 보세요.

1 훈민정음 ⬚. ⇨ 창제   최초

전에 없던 것을 처음으로 만드는 것

2 그 작품은 매우 ⬚이다. ⇨ 보편적   독창적

새로운 것을 처음으로 만들어 생각해 낸 것

3 민서는 ⬚를 참 잘 쓴다. ⇨ 필기체   인쇄체

손으로 글씨를 써 놓은 모양

4 키보드로 글자를 ⬚했다. ⇨ 입력   출력

문자나 숫자를 컴퓨터가 기억하게 하는 일

5 한글은 우수한 문자 ⬚이다. ⇨ 통계   체계

서로 연결되고 어울리도록 조직한 전체

6 에디슨은 전기의 ⬚를 발견했다. ⇨ 원리   원인

기본이 되는 이치나 법칙

131

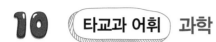

10 타교과 어휘 과학

✏️ 다음 실험 도구의 이름으로 알맞은 낱말을 찾아 ○표 하세요.

1

⇨ 비커   비이커

원통 모양의 화학 실험용 유리그릇

2

⇨ 실린더   실링더

받침이 있는 두꺼운 유리관

3

⇨ 깔대기   깔때기

액체를 붓는 데 쓰는 나팔 모양의 기구

4

⇨ 스포이드   스포이트

액체를 옮겨 넣을 때 쓰는 고무 주머니가 달린 유리관

5

⇨ 알코올램프   알콜램프

알코올을 연료로 하는 가열 장치

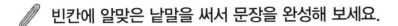

빈칸에 알맞은 낱말을 써서 문장을 완성해 보세요.

① 이 화장품은 천연 [원 | 료] 만을 사용하여 만들어졌다.
어떤 물건을 만드는 데 바탕이 되는 재료

② 이 기업은 폐지를 재활용하여 [재 | 생] 화장지를 만든다.
낡거나 못 쓰게 된 물건을 가공하여 다시 쓰게 함.

③ 팥빙수는 다양한 재료가 섞여 있는 [혼 | 합 | 물] 이다.
여러 가지가 뒤섞여서 한데 합해진 물질

④ 나는 복숭아 [알 | 레 | 르 | 기] 가 있어 복숭아를 먹지 못한다.
어떤 물질에 대하여 몸이 지나치게 예민하게 반응하여 생기는 탈

⑤ 날씨가 매우 건조하여 조금 전에 널어 둔 수건의 물기가 모두 [증 | 발] 했다.
액체가 기체로 바뀌는 것

⑥ 구슬 [공 | 예 | 가] 들은 구슬을 사용하여 다양한 모양의 액세서리를 만든다.
물건을 만드는 기술에 관한 재주를 가진 사람

133

먹고살다

생계를 유지하다.

예 그는 신문 배달로 [ ][ ]산다.

문맹률

글을 읽거나 쓸 줄 모르는 사람의 비율

예 한글이 보급되면서 [ ][ ][ ]이 떨어졌다.

저지르다

죄를 짓거나 잘못이 생겨나게 행동하다.

예 그는 범행을 [ ][ ][ ]고 재빨리 달아났다.

전율

매우 무섭거나 두려워 몸이 떨림.

예 나는 소름이 돋을 정도로 [ ][ ]을 느꼈다.

출석률

출석하여야 할 사람 수에 대해서 실제로 출석한 사람의 비율

예 오늘 회의는 [ ][ ][ ]이 높았다.

게을리하다

움직이거나 일하기를 몹시 싫어하여 제대로 하지 않다.

예 공부를 [ ][ ][ ]했더니 성적이 많이 떨어졌다.

말소리

사람의 발음 기관을 통해 나는 구체적인 소리

예 음악 소리가 너무 커서 바로 옆 사람의 [ ][ ][ ]도 안 들린다.

어의

임금의 병을 치료하던 사람

예 [ ][ ]에게는 임금의 건강 상태를 관리해야 할 책임이 있었다.

증발

액체가 기체로 바뀌는 것

㉰ 오랜 가뭄으로 하천의 물이 모두 ☐☐했다.

체계

서로 연결되고 어울리도록 조직한 전체

㉰ 훈민정음은 우리의 고유한 글자 ☐☐이다.

필기체

손으로 글씨를 써 놓은 모양

㉰ 최 선생님의 ☐☐☐는 시원시원하고 멋있다.

글귀

글의 구나 절

㉰ 이 카페에는 벽에 좋은 ☐☐가 많이 붙어 있다.

혼합물

여러 가지가 뒤섞여서 한데 합해진 물질

㉰ 우리는 여러 가지가 섞인 ☐☐☐을 제각각 분리했다.

알레르기

어떤 물질에 대하여 몸이 지나치게 예민하게 반응하여 생기는 탈

㉰ 나는 복숭아 ☐☐☐☐가 있어 복숭아를 먹지 못한다.

보따리

보자기에 물건을 싸서 꾸린 뭉치

㉰ 할머니가 들고 오신 ☐☐☐에는 곶감이 잔뜩 들어 있었다.

본디

원래. 처음부터

㉰ 그곳은 ☐☐ 섬이었는데 이제는 육지와 이어져 반도가 되었다.

인물의 마음을 알아봐요

국어 교과서 274~303쪽

1 말투, 표정, 몸짓

만화나 영화 속 인물의 말투와 표정, 몸짓을 눈여겨보면 그 인물의 마음을 짐작해 볼 수 있어요. 말투와 표정, 몸짓에는 인물의 감정이 담겨 있기 때문이지요.

✏️ 빈칸에 알맞은 낱말을 [보기]에서 찾아 써 보세요.

보기

과장	말투	몸짓	실감	짐작	표정

1 민주는 나의 [ ] 대로 기분이 좋지 않았다.
사정이나 형편 등을 대강 알아차리는 것

2 그 영화의 전쟁 장면은 정말 [ ] 이 났다.
실제로 체험하는 느낌

3 그는 [ ] 만으로 자신의 생각을 표현했다.
몸을 움직이는 모양

4 이 내용은 [ ] 없이 내가 들은 그대로이다.
사실보다 지나치게 불려서 말하는 것

5 형은 나에게 불만이 있는지 [ ] 가 거칠었다.
말을 하는 버릇이나 본새

6 수현이는 무슨 좋은 일이 있었는지 밝은 [ ] 을 짓고 있었다.
마음속에 품은 감정이 겉으로 드러난 모습

2 마음을 나타내는 말 긴장하다

'마음을 조이고 정신을 바짝 차리다.'는 뜻을 가진 '긴장하다'와 같은 낱말들은 인물의 마음 상태를 표현하는 말로 쓰여요.

> 학생들이 시험을 앞두고 **긴장하다**.
> 학생의 마음 상태를 나타냄.

28일
월
일

✏️ 빈칸에 알맞은 낱말을 [보기]에서 찾아 써 보세요.

보기

놀라다   긴장하다   당황하다   망설이다   억울하다   창피하다

1 합격자 발표를 앞두고 ⬜.
마음을 조이고 정신을 바짝 차리다.

2 예상하지 못한 친구의 질문에 ⬜.
놀라거나 다급하여 어찌할 바를 모르다.

3 아무 잘못도 없이 벌을 서기가 ⬜.
아무 잘못 없이 꾸중을 듣거나 벌을 받아 분하고 답답하다.

4 지나가는 차의 경적 소리에 깜짝 ⬜.
뜻밖의 일이나 무서움에 가슴이 두근거리다.

5 공부를 할지 컴퓨터 게임을 할지 ⬜.
이리저리 생각만 하고 태도를 결정하지 못하다.

6 사람들 앞에서 동생하고 싸우는 것이 부끄럽고 ⬜.
체면이 깎이는 일이나 아니꼬운 일을 당하여 부끄럽다.

137

3 대신 가리키는 말 여기, 거기

'여기'는 말하는 이에게 가까운 곳을 가리키는 말이에요. '거기'는 듣는 이에게 가까운 곳 또는 앞서 이야기한 곳을 대신 가리키는 말이지요.

여기에서 얼마나 걸려?
말하는 이에게 가까운 곳

아까 말한 **거기**까지 얼마나 걸려?
앞에서 이야기한 곳

[1-5] 다음 대화를 참고하여 물음에 답하세요.

〈놀이터에서〉

희주: 우리 내일 헌책방 앞에서 만나는 게 어때?
혜지: ㉠거기가 ㉡어디야?
희주: 학교 앞 사거리에서 오른쪽으로 돌면 바로 있어.
혜지: 그러지 말고 그냥 ㉢여기에서 보는 게 어때?
희주: 그럴까? 그럼 내일 오후 2시에 여기서 만나자. 안녕.
혜지: 그래, 내일 보자. 안녕.

✎ ㉠~㉢ 중에서 다음 설명에 해당하는 것의 기호를 써 보세요.

1 잘 모르는 어느 곳을 대신 가리키는 말 ⇨ ☐

2 말하는 이에게 가까운 곳을 대신 가리키는 말 ⇨ ☐

3 앞에서 이미 이야기한 곳을 대신 가리키는 말 ⇨ ☐

✎ 위의 대화에서 ㉠과 ㉢이 가리키는 장소가 어디인지 찾아 써 보세요.

4 ㉠ 거기 ⇨ ☐

5 ㉢ 여기 ⇨ ☐

4 뜻을 더하는 말 왕–

'왕–'은 낱말의 앞에 붙어 뜻을 더하는 말이에요. '크다'라는 기본적인 의미 외에 다른 의미를 더하기도 하지요.

왕거미	왕자갈	왕가뭄
보다 큰 종류	매우 굵은	매우 심한

✏️ 밑줄 친 낱말에 쓰인 '왕'의 뜻으로 알맞은 것을 [보기]에서 찾아 번호를 써 보세요.

보기

① 보다 큰 종류　　　② 매우 굵은　　　③ 매우 심한

1 동물원에서 왕뱀을 보았다.　　⇨ [　　]

2 내 동생은 정말 왕고집이다.　　⇨ [　　]

3 이 해수욕장에는 왕모래가 많이 있다.　　⇨ [　　]

4 왕가뭄 끝에 비가 내리니 축제 분위기이나.
'가물' = '가뭄'　　⇨ [　　]

5 우리 동네에는 아주 오래된 왕느릅나무가 있다.　　⇨ [　　]

6 김치를 담글 때에는 왕소금으로 배추를 절인다.　　⇨ [　　]

5 줄여 쓰는 말 오랜만

'오랜만'은 '오래간만'을 줄여 쓴 말이에요. 준말을 쓰더라도 그 본말이 무엇인지는 알아 둘 필요가 있어요.

> **오랜만**에 친구를 만났다. → **오래간만**에 친구를 만났다.
> 준말   본말

✏️ 다음 문장에 알맞은 낱말을 찾아 ○표 하세요.

1 (이게 / 요게) 내 연필이다.
　　'이것이'의 준말

2 그 책의 내용은 (여렇다 / 이렇다).
　　　　　　　　'이러하다'의 준말

3 이 시간에 (그러기 / 그렇기)도 미안하다.
　　　　　　　'그리하기'의 준말

4 정말 (오랜만 / 오랫만)에 영화관에 갔다.
　　　　　'오래간만'의 준말

5 민수는 (어떡하다 / 어떻하다) 다친 거야?
　　　　'어떻게 하다'의 준말

140

6 명령을 나타내는 말 -아라, -어라

'-아라'와 '-어라'는 움직임을 나타내는 말에서 뜻을 나타내는 부분의 뒤에 붙어 명령의 뜻을 나타내는 말이에요.

잡다 → 잡아라	먹다 → 먹어라
'ㅏ', 'ㅗ'일 때 '-아라'를 씀.	'ㅓ', 'ㅜ'일 때 '-어라'를 씀.

✏️ 밑줄 친 낱말을 명령의 뜻을 나타내는 말로 바꿔 써 보세요.

➊ 손을 <u>잡다</u>. ⇨ 손을 | 잡 | 아 | 라 | .

➋ 하늘을 <u>보다</u>. ⇨ 하늘을 | | | | .

➌ 음악을 <u>듣다</u>. ⇨ 음악을 | | | | .

➍ 땅을 <u>밟다</u>. ⇨ 땅을 | | | | .

➎ 춤을 <u>추다</u>. ⇨ 춤을 | | | | .

➏ 놀이터에서 <u>놀다</u>. ⇨ 놀이터에서 | | | | .

7 잘못 쓰기 쉬운 말 숟가락

'젓가락'은 'ㅅ'받침을 쓰지만 '숟가락'은 'ㄷ'받침을 써요. 받침이 헷갈리는 낱말들을 잘 익혀서 바르게 쓰도록 해요.

숟가락과 **젓가락**을 식탁 위에 놓다.
숫가락(×)   젇가락(×)

✏️ 다음 문장에 알맞은 낱말을 찾아 ○표 하세요.

1 국물을 (숟가락 / 숫가락)으로 떠먹었다.

2 (젓가락 / 젇가락)은 두 짝의 모양이 똑같다.

3 할머니는 (논그릇 / 놋그릇)을 깨끗하게 닦으셨다.
놋쇠로 만든 그릇

4 엄마는 바느질을 하기 위해 (반짇고리 / 반짓고리)를 꺼내셨다.
바늘, 실, 헝겊 따위의 바느질 도구를 담는 그릇

5 유학을 떠난 사촌 언니는 다음 달 (사흘날 / 사흗날)에 돌아온다.
셋째 날

6 동생이 밤새 아팠지만 다행히 (이틀날 / 이튿날) 아침에는 괜찮아졌다.
어떤 일이 있은 그 다음날

142

8 띄어쓰기 보다

'~에 비해서'라는 비교의 뜻을 나타내는 '보다'는 앞말과 붙여 써야 하고, '어떤 수준에 비하여 한층 더'라는 뜻의 '보다'는 다른 낱말과 띄어 써야 해요.

형은 **나보다** 두 살 더 많다. ~에 비해서	**보다** 빠르게 뛰어 볼까? 어떤 수준에 비하여 한층 더

밑줄 친 부분을 붙여 써야 하는 것은 ⌒, 띄어 써야 하는 것은 ∨표 하세요.

1

⇨ 새가 <u>보다높게</u> 난다.

2

⇨ 내가 <u>너보다</u> 키가 작다.

3

⇨ 영어 실력이 <u>보다늘었다</u>.

4

⇨ 내 동생은 <u>누구보다도</u> 잘 먹는다.

143

9 꾸며 주는 말 순전히

'순전히'는 '순수하고 완전하게'라는 뜻으로 다른 말을 꾸며 주어요.

이번 일은 **순전히** 내 탓이다.
꾸며 줌.

✏️ 빈칸에 알맞은 낱말을 [보기]에서 찾아 써 보세요.

보기

대체　　일단　　갑자기　　게다가　　순전히　　절대로

1 ☐ 그곳에 함께 가 보자.
우선 먼저

2 ☐ 다른 친구를 괴롭혀서는 안 된다.
어떠한 경우에도 반드시

3 수영이는 공부도 잘하고 ☐ 운동도 잘 한다.
그러한 데다가

4 골목에서 ☐ 고양이가 튀어나와 깜짝 놀랐다.
미처 생각할 겨를도 없이 급히

5 나는 ☐ 태권도가 재미있어서 배우는 것이다.
순수하고 완전하게

6 ☐ 어디에 갔다가 이렇게 늦게 들어온 것이니?
(궁금하여 묻는 말로) 한마디로 말해서

10 쓰임을 바꾸는 말 '-ㅁ'

'슬프다', '뛰다', '살다'와 같은 낱말에서 형태가 바뀌지 않는 부분 '슬프-', '뛰-', '살-'에 받침 'ㅁ'을 붙여서 다른 형태로 사용할 수 있어요. 이때, '살다'와 같이 'ㄹ'받침이 있는 낱말은 '삶'처럼 받침에 'ㄻ'이 있는 형태로 바꾸어야 해요.

인형을 잃어버려서 **슬프**다.	그는 **슬픔**에도 불구하고 티를 내지 않았다.
형태가 바뀌지 않는 부분	받침 'ㅁ'이 붙음.

✏️ 밑줄 친 낱말의 형태가 알맞게 바뀐 것을 찾아 ○표 하세요.

1 운동장을 <u>뛰다</u>. ⇨ 뜀 뚊

2 그 내용을 <u>알다</u>. ⇨ 암 앎

3 밤새 꿈을 <u>꾸다</u>. ⇨ 꿈 꿊

4 신나게 춤을 <u>추다</u>. ⇨ 춤 춢

5 친구랑 재밌게 <u>놀다</u>. ⇨ 놈 놂

6 이 음식은 정말 <u>달다</u>. ⇨ 담 닮

7 동생이 곤히 잠을 <u>자다</u>. ⇨ 잠 잚

✏️ 빈칸에 알맞은 낱말을 써서 문장을 완성해 보세요.

1 우리 선생님은 | ㅈ | ㅅ | 이 뛰어난 분이시다.

사물에 대해 바르게 판단하고 이해하는 능력

2 학교에서 선생님을 만나면 | ㄱ | ㅅ | 인사를 드린다.

절을 하거나 웃어른을 모실 때 두 손을 앞으로 모아 포개어 잡음.

3 나는 오랜만에 뵌 할머니께 | ㅋ | ㅈ | 을 올렸다.

앉으면서 허리를 굽혀 공손하게 하는 절

4 | 외 | 며 | ㅈ | 인 모습만 보고 사람을 판단해서는 안 된다.

겉으로 나타난 모양에만 관계된. 또는 그런 것

5 수민이는 성격이 좋아서 많은 사람들에게 | ㅎ | ㄱ | 을 산다.

좋게 여기는 감정

6 항상 바르고 차분하게 행동하는 그는 | ㄱ | ㅇ | 이 있는 사람이다.

학문, 지식, 사회생활을 바탕으로 이루어지는 품위

✏️ 밑줄 친 낱말에 알맞은 뜻을 찾아 연결하세요.

30일

○ 월
○ 일

1 그의 목소리는
조용하고 <u>침착하다</u>.

열기를 품다.

2 경기를 앞둔 친구에게
용기를 <u>북돋우다</u>.

행동이 들뜨지 아니하고
차분하다.

3 강당으로 아이들이
하나 둘씩 <u>모여들다</u>.

여럿이 어떤 범위 안을
향하여 오다.

4 국어 시간에 한 토론이
매우 <u>열띠다</u>.

기운이나 정신 따위를
더욱 높여 주다.

5 학교 친구들과
여러모로 잘 <u>어울리다</u>.

사람의 의지, 태도나
마음가짐 따위가 매우
굳세다.

6 준서는 아무리 힘든 일이
있어도 <u>꿋꿋하다</u>.

함께 사귀어 잘 지내거나
분위기에 같이 휩싸이다.

다음 빈칸에 글자를 넣어 낱말을 완성하세요.

1 ☐ **모래** — 매우 굵은 모래

2 ☐ **가뭄** — 매우 심한 가뭄

3 ☐ **짓** — 몸을 움직이는 모양

4 ☐ **감** — 실제로 체험하는 느낌

5 ☐ **투** — 말을 하는 버릇이나 본새

6 ☐ **디** — 잘 모르는 어느 곳을 대신 가리키는 말

7 ☐ **정** — 마음속에 품은 감정이 겉으로 드러난 모습

8 ☐ **기** — 말하는 이에게 가까운 곳을 대신 가리키는 말

9 ☐ **기** — 앞에서 이미 이야기한 곳을 대신 가리키는 말

10 **망** ☐ **이다** — 이리저리 생각만 하고 태도를 결정하지 못하다.

정답   1. 왕   2. 왕   3. 몸   4. 실   5. 말   6. 어   7. 표   8. 여   9. 거   10. 설

148

¹¹ 사 □ 날 | 셋째 날

¹² 열 □ 다 | 열기를 품다.

¹³ □ 그릇 | 놋쇠로 만든 그릇

¹⁴ □ 감 | 좋게 여기는 감정

¹⁵ □ 성 | 사물에 대해 바르게 판단하고 이해하는 능력

¹⁶ □ 면적 | 겉으로 나타난 모양에만 관계된. 또는 그런 것

¹⁷ 반 □ 고리 | 바늘, 실, 헝겊 따위의 바느질 도구를 담는 그릇

¹⁸ □ 양 | 학문, 지식, 사회생활을 바탕으로 이루어지는 품위

¹⁹ 오 □ 만 | '오래간만(어떤 일이 있은 때로부터 긴 시간이 지난 뒤)'의 준말

²⁰ 공 □ | 절을 하거나 웃어른을 모실 때, 두 손을 앞으로 모아 포개어 잡음.

정답 11. 흘   12. 띠   13. 놋   14. 호   15. 지   16. 외   17. 짇   18. 교   19. 랜   20. 수

MEMO

MEMO

MEMO

글 읽기 능력이 향상되면
모든 공부의 **차신감**도 **향상**됩니다.

신간

다양한 글들을
쉽고 재미있게
공부하다 보면
독해왕이 됩니다!!!

숨마어린이
초등국어 **독해왕** 시리즈
1단계/2단계/3단계/4단계/5단계/6단계 (전 6권)

숨마 어린이®

어휘력 향상을 위한

초등국어

어휘왕

4-1

정답 및 해설

눈으로 보는 정답 및 도움말

▶ 학생 지도 자료로 활용할 수 있습니다.

초등국어 어휘력 향상을 위한

어휘 왕

4-1

이룸이앤비
Education & Books

1 모양을 흉내 내는 말 뉘엿뉘엿

'뉘엿뉘엿'은 '해가 산이나 지평선 너머로 조금씩 넘어가는 모양'을 흉내 내는 말이에요. 흉내 내는 말을 사용하면 느낌을 생생하게 표현할 수 있어요.

해가 뉘엿뉘엿 지고 있다.
해가 산이나 지평선 너머로 조금씩 넘어가는 모양

✏️ 밑줄 친 부분의 글자 순서를 바르게 고쳐 써 보세요.

1 창밖에는 비가 부슬슬부 내린다.
눈이나 비가 조용히 성기게 내리는 모양
⇨ 부슬부슬

2 늦잠을 자서 학교로 헐벌떡레 뛰어갔다.
숨을 가쁘고 거칠게 몰아쉬는 모양
⇨ 헐레벌떡

3 해가 서쪽으로 뉘뉘엿엿 넘어가고 있다.
해가 산이나 지평선 너머로 조금씩 넘어가는 모양
⇨ 뉘엿뉘엿

4 아기가 엄마를 보고 사랑스럽게 실방실방 웃는다.
자꾸 소리 없이 밝고 보드랍게 웃는 모양
⇨ 방실방실

5 내 물음에 영희는 대답 없이 고개만 끄덕끄덕 하였다.
머리를 가볍게 아래위로 자꾸 움직이는 모양
도움말▼ '끄떡끄떡'은 '끄덕끄덕'보다 센 느낌을 주는 말이에요.
⇨ 끄덕끄덕

6 토끼 두 마리가 풀밭에서 깡깡충충 뛰어다니고 있다.
짧은 다리를 모으고 자꾸 힘있게 뛰는 모양
⇨ 깡충깡충

10

2 주제별 어휘 장소

'장소'는 '어떤 일이 이루어지거나 일어나는 곳'을 가리키는 말이에요. 우리는 집과 학교 등의 장소에서 생활을 하고 있지요.

✏️ 빈칸에 알맞은 낱말을 [보기]에서 찾아 써 보세요.

보기
| 곳간 | 경로당 | 도서관 | 사랑채 | 운동장 | 바깥마당 |

1 아버지는 집에 오신 손님을 **사랑채** 로 모셨다.
주로 남자 주인이 머물며 손님을 맞는 집채

2 나는 주말마다 언니와 함께 **도서관** 에 가서 책을 읽는다.
책과 자료를 모아 두고 사람들이 볼 수 있도록 한 시설

3 할머니 댁 **바깥마당** 에서는 집 안이 환하게 들여다보인다.
대문 밖에 있는 마당
도움말▲ 대문을 경계로 집 안쪽은 '안마당', 바깥쪽은 '바깥마당'이라고 해요.

4 할머니께서는 매일 **경로당** 에 나가 친구분들과 어울리신다.
노인들이 모여 쉬거나 놀 수 있도록 마련한 집이나 방

5 마음씨 좋은 부자가 **곳간** 을 열어 어려운 사람을 도와주었다.
곡식 따위를 넣어 보관하는 곳

6 비가 와서 체육 수업을 **운동장** 에서 하지 못하고 체육관에서 했다.
운동 경기, 놀이 따위를 할 수 있는 넓은 마당

11

3 꾸며 주는 말 함부로

'함부로'는 '조심하거나 깊이 생각하지 아니하고 마구'라는 뜻을 가진 말이에요. 이와 같은 말은 다른 말이나 문장을 꾸며 주는 말로 쓰여요.

함부로 행동해서는 안 된다.
꾸며 줌.

✏️ 빈칸에 알맞은 낱말을 [보기]에서 찾아 써 보세요.

보기
| 아마 | 아주 | 아무리 | 어느새 | 함부로 |

1 허락도 없이 남의 물건에 **함부로** 손을 대면 안 된다.
조심하거나 깊이 생각하지 아니하고 마구

2 어젯밤부터 세차게 내리던 비는 **어느새** 그쳐 있었다.
어느 틈에 벌써

도움말▼ '소질'은 '태어날 때부터 지니고 있는 능력이나 성질'을 의미해요.
3 우리 언니는 음악에 소질이 있어 노래를 **아주** 잘 부른다.
보통 정도보다 훨씬 더 넘어선 상태로

4 네가 **아무리** 장난감을 사 달라고 떼를 써 봐도 소용이 없다.
정도가 매우 심함을 나타내는 말

5 지난달에 전학을 간 영인이는 **아마** 새 학교에 잘 적응했을 것이다.
미루어 생각할 때 그럴 가능성이 크다는 뜻을 나타내는 말

12

4 바꿔 쓸 수 있는 말 훈훈하다

'훈훈하다'는 '마음을 부드럽게 녹여 주는 따스함이 있다.'라는 뜻을 가진 말로 '따뜻하다'와 비슷한 의미를 가지고 있어요.

그의 마음이 [훈훈하다 / 따뜻하다].
바꿔 쓸 수 있음.

✏️ 밑줄 친 낱말과 바꿔 쓸 수 있는 낱말을 [보기]에서 찾아 써 보세요.

보기
| 답답하다 | 씩씩하다 | 혹독하다 | 불만스럽다 | 수두룩하다 |

1 평소와는 다르게 선생님의 꾸지람이 호되다.
매우 심하다.
⇨ 혹독하다

도움말▼ '허다하다'는 '숱하다'와도 바꿔 쓸 수 있어요.
2 우리 반에는 수학을 잘하는 친구가 허다하다.
수가 매우 많다.
⇨ 수두룩하다

3 나는 그들이 서로 귓속말을 하는 것이 못마땅하다.
마음에 들지 않아 좋지 않다.
⇨ 불만스럽다

4 이번 시합에서 우리가 우승하지 못한 것이 안타깝다.
뜻대로 되지 아니하거나
보기 막막하여 가슴 아프다.
⇨ 답답하다

5 망설임 없이 무서운 놀이 기구를 타는 그는 참 용감하다.
용기가 있고 기운차다.
⇨ 씩씩하다

13

5 수를 나타내는 말 열

수를 나타내는 말은 한자어로 된 말과 고유어로 된 말이 있어요. 숫자 '10'은 한자어로는 '십(十)'이라 쓰고 고유어로는 '열'이라고 써요.

주어진 한자어와 같은 수를 나타내는 고유어를 낱말 카드에서 찾아 써 보세요.

┌───┐
│ 쉰   열   마흔   서른   스물   아흔   여든   예순   일흔 │
└───┘

❶ 십(十) [열] ❷ 이십(二十) [스물]

❸ 삼십(三十) [서른] ❹ 사십(四十) [마흔]

❺ 오십(五十) [쉰] ❻ 육십(六十) [예순]

❼ 칠십(七十) [일흔] ❽ 팔십(八十) [여든]

도움말▼ 숫자 '100'을 나타내는 순우리말은 '온'이었지만
지금은 쓰이지 않아요.

❾ 구십(九十) [아흔]

14

6 자주 쓰는 말 목숨을 바치다

'목숨을 바치다'라는 말은 '목숨을 내놓다.'라는 말로 이해할 수 있어요. 그런데 이와 같은 말은 원래의 뜻 외에도 '생명을 걸고 일하다.'라는 새로운 뜻으로 쓰이기도 해요.

가족을 위해 **목숨을 바치다**.
생명을 걸고 일하다.

빈칸에 알맞은 말을 [보기]에서 찾아 써 보세요.

┌─────────────────── 보기 ───────────────────┐
│ 귀가 밝다   눈에 띠다   뿔이 나다   의심이 나다   마음에 들다   목숨을 바치다 │
└──┘

❶ 주인을 위해 평생 동안 [목숨을 바치다].
　　　　　　　　　　　　　　　생명을 걸고 일하다.

❷ 친구가 자꾸만 나를 놀려서 [뿔이 나다].
　　　　　　　　　　　　　　　화가 나다.

❸ 생일 선물로 받은 자전거가 [마음에 들다].
　　　　　　　　　　　　　　　마음이나 감정에 좋게 여겨지다.

❹ 이상한 옷차림을 한 범인이 [눈에 띠다].
　　　　　　　　　　　　　　　두드러지게 드러나다.

❺ 그 어려운 숙제를 정말 혼자 다 했는지 [의심이 나다].
　　　　　　　　　　　　　　　　　　　　믿지 못하거나 의아하게 여겨지다.

❻ 수정이는 뉴스를 자주 봐서인지 여러 정보에 [귀가 밝다].
　　　　　　　　　　　　　　　　　　　　　소식에 빠르고 훤히 알다.

도움말▲ '귀가 어둡다'는 '남의 말을 잘 이해하지 못하거나 둔하다.'
또는 '정보나 소식을 잘 모르고 있다.'라는 의미로 쓰여요.

15

7 합쳐진 말 1 콧노래

두 낱말이 합쳐져서 새로운 낱말이 될 때 두 낱말 사이에 'ㅅ'이 덧붙기도 해요. '코로 부르는 노래'를 뜻하는 콧노래는 '코'와 '노래'가 합쳐질 때 'ㅅ'이 덧붙었어요.

코 + 노래 → 콧노래
두 낱말이 합쳐질 때   'ㅅ'이 덧붙음.

빈칸에 알맞은 낱말을 써 보세요.

❶ 코로 부르는 노래 [코] + [노래] ⇨ [콧노래]

❷ 해의 빛 [해] + [빛] ⇨ [햇빛]

❸ 나무의 잎 [나무] + [잎] ⇨ [나뭇잎]

❹ 아래쪽에 있는 마을 [아래] + [마을] ⇨ [아랫마을]

도움말▲ '위쪽에 있는 마을'은 '윗마을'이에요.

❺ 이사할 때 이사 갈 집으로 옮기는 짐 [이사] + [짐] ⇨ [이삿짐]

❻ 머리의 속이나 생각 속 [머리] + [속] ⇨ [머릿속]

16

8 합쳐진 말 2 얻어먹다

'얻어먹다'는 '얻다'와 '먹다' 합쳐진 말이에요. 낱말과 낱말이 합쳐져서 하나의 낱말이 될 때에 앞말의 '-다'가 '-어'나 '-아'로 바뀌어요.

얻다 + 먹다 → 얻어먹다
두 낱말이 합쳐질 때   '-어'로 바뀜.

밑줄 친 부분을 하나의 낱말로 만들어 써 보세요.

❶ 닭을 우리 안에 집다+넣다. ⇨ [집어넣다]
　 어떤 공간에 들어가게 하다.

도움말▼ '남에게 구걸하여 얻어먹다.'라는 뜻의 '빌어먹다'도 함께 알아두도록 해요.

❷ 친구에게 점심을 얻다+먹다. ⇨ [얻어먹다]
　 남이 사 주는 음식을 먹다.

❸ 강아지가 마당을 뛰다+다니다. ⇨ [뛰어다니다]
　 여기저기로 뛰면서 돌아다니다.

❹ 병원비를 대기 위해 집을 팔다+넘기다. ⇨ [팔아넘기다]
　 값을 받고 어떤 물건을
　 다른 사람에게 넘겨주다.

❺ 친구가 책을 빌리기 위해 나를 찾다+오다. ⇨ [찾아오다]
　 사람을 만나거나 어떤
　 일을 하러 오다.

❻ 병원에 입원했던 친구가 학교로 돌다+오다. ⇨ [돌아오다]
　 원래 있던 곳으로 다시 오다.

17

9 잘못 쓰기 쉬운 말 1 얌전히

'성품이나 태도가 침착하고 단정하게'를 뜻하는 말은 '얌전이'가 아니라 '얌전히'예요. '이'로
쓰는 낱말과 '히'로 쓰는 낱말을 구분할 수 있어야 해요.

얌전히 앉아 있다.
얌전이(×)

도움말 ▲ '이'와 '히'로 끝나는 낱말은 일정한 규칙이 있지만 예외가 많으므로
각각의 낱말을 정확하게 익혀 두는 것이 좋아요.

✏️ 다음 문장에 알맞은 낱말을 찾아 ○표 하세요.

❶ 강아지가 나를 (멀찍이 / 멀찍히) 따라왔다.
　　　　　　사이가 꽤 떨어지게

❷ 그는 자신의 동생을 (소중이 / 소중히) 생각한다.
　　　　　　　　　　매우 귀중하게

❸ 할아버지는 나를 (끔찍이 / 끔찍히) 귀여워하신다.
　　　　　　　몹시 대단하게

❹ 나는 엄마가 올 때까지 (얌전이 / 얌전히) 기다렸다.
　　　　　　　　　성격이나 태도가 조용하고 차분하게

❺ 외출하기 전에 문단속을 (단단이 / 단단히) 해야 한다.
　　　　　　　　　확실하고 제대로

❻ 냉장고에 여러 종류의 과일이 (빼곡이 / 빼곡히) 들어 있다.
　　　　　　　　　사람이나 물건이 어떤 공간에 빈틈없이 꽉 차게

18

10 잘못 쓰기 쉬운 말 2 갈게

'갈게'는 [갈께]로, '일어날걸'은 [이러날껄]로 소리 나지만 소리 나는 대로 쓰지 않아요. 그러
나 '먹을까'와 '늦을고'와 같이 묻는 말은 소리 나는 대로 쓰지요.

학교로 **갈게**.　　　우리 피자 **먹을까**? → 묻는 말
　　갈께(×)　　　　　　　먹을가(×)

✏️ 다음 문장에 알맞은 표현을 찾아 ○표 하세요.

❶  여기는 내가 청소를 (할게 / 할께).

❷  우리 주말에 놀이공원에 (갈가 / 갈까)?

❸  너도 함께 갔으면 (좋았을걸 / 좋았을껄).

❹ 방이 왜 이리 (지저분할고 / 지저분할꼬)?

19

11 타교과 어휘 사회

✏️ 빈칸에 알맞은 낱말을 [보기]에서 찾아 써 보세요.

보기
방위　범례　축척　등고선　안내도　중심지

❶ **축척** 에 따라 지도의 자세한 정도가 달라진다.
지도에서의 거리와 지표에서의 실제 거리와의 비율
도움말 ▲ '축척'을 '축적'과 헷갈리지 않도록 주의해요. '축적'은
'지식, 경험, 돈 등을 모아서 쌓음. 또는 모아서 쌓은 것'을 의미해요.

❷ 지도에서 **등고선** 을 보면 땅의 높이를 알 수 있다.
지도에서 땅의 높이가 같은 지점을 연결한 곡선

❸ **범례** 를 활용하면 지도를 이해하는 데 도움이 된다.
지도에 쓰인 기호와 그 뜻

❹ 이곳은 교통이 매우 편리해서 지역의 **중심지** 가 되었다.
어떤 일이나 활동의 중심이 되는 곳

❺ 산에서 길을 잃고 나침반의 **방위** 를 살펴서 길을 찾았다.
동서남북을 기준으로 정한 방향

❻ 우리는 어떤 순서로 여행할지 관광 **안내도** 를 보고 계획을 세웠다.
안내하는 내용을 그린 그림

20

✏️ 밑줄 친 낱말에 알맞은 뜻을 찾아 연결하세요.

❶ 우리 모둠은 시장으로 **답사**를 갔다.

보통의 것과 다른 점

❷ 고장마다 저마다 고유한 **특색**이 있다.

현장에 가서 직접 보고 조사함.

도움말 ▲ '특색'과 비슷한 말로 '특징'이 있어요.

❸ 방학 때마다 우리 가족은 **휴양림**을 찾는다.

편안히 쉬면서 피로를 풀 수 있도록 만든 숲

❹ **행정**의 중심지에는 지역의 사람들이 여러 일을 처리하려고 모인다.

생활에 필요한 물건이나 서비스를 만들어 내는 일

❺ **상업**의 중심지에는 지역의 사람들이 필요한 물건을 사려고 모인다.

규정이나 규칙에 따라 공적인 일들을 처리하는 것

❻ **산업**의 중심지에는 물건을 만드는 회사나 공장에서 일하려고 사람들이 모인다.

상품을 사고파는 행위를 통하여 이익을 얻는 일

21

2장 내용을 간추려요

1 간추리기

글을 간추린다는 것은 글의 내용 중 중요한 내용만을 뽑아 정리한다는 것을 말해요. 글을 잘 간추리면 다른 사람에게 내용을 전달하거나 오래 기억하는 데 도움이 돼요.

도움말▲ 문단에서 중심 문장을 찾은 뒤에 각 문단의 중심 문장을 이으면 글의 전체 내용을 간추릴 수 있어요.

✏ 다음 설명에 알맞은 낱말을 [보기]에서 찾아 써 보세요.

보기
| 문단 | 사건 | 전개 | 간추리기 | 중심 문장 | 뒷받침 문장 |

❶ 내용을 점점 크고 복잡하게 펴 나감. ⇨ 전개

❷ 관심이나 주목을 받을 만한 뜻밖의 일 ⇨ 사건

❸ 글 따위에서 중요한 점만 골라 간략하게 정리함. ⇨ 간추리기

❹ 글의 덩어리 안에서 매우 중요하고 기본이 되는 문장 ⇨ 중심 문장

❺ 글의 덩어리 안에서 중심 문장을 자세히 설명해 주는 문장 ⇨ 뒷받침 문장

❻ 몇 개의 문장이 모여 하나의 중심 생각을 나타내는 글의 부분 ⇨ 문단

24

2 주제별 어휘 날씨

일기 예보를 보면 날씨에 관한 많은 정보를 알 수 있어요. 그 정보들을 잘 이해하기 위해서는 날씨에 관한 기본적인 표현들을 익혀 둘 필요가 있지요.

✏ 상자 안의 낱말들을 비슷한 것끼리 나누어 써 보세요.

따스하다　　　뜨듯하다　　　싸늘하다
차다　　　온난하다
냉랭하다

따뜻하다	쌀쌀하다
따스하다　뜨듯하다　온난하다	차다　싸늘하다　냉랭하다

✏ 빈칸에 알맞은 낱말을 써서 문장을 완성해 보세요.

❶ 오늘은 구름도 한 점 없이 하늘이 맑 다 .
구름이나 안개가 끼지 아니하여 햇빛이 밝다.

도움말▼ 보통 일교차가 심하다고 하면 아침, 저녁의 기온 차이가 심하다는 뜻이에요.
❷ 요즘은 일 교 차 가 심하니까 감기를 조심해야 한다.
기온, 습도, 기압 따위가 하루 동안에 변화하는 차이

❸ 내일은 기 온 이 더 내려가니 옷차림을 따뜻하게 하세요.
공기의 온도

25

3 합쳐진 말 1 봄꽃

봄에 피는 꽃을 뜻하는 '봄꽃'은 '봄'과 '꽃'이 합쳐진 말이에요. 두 낱말이 합쳐져서 하나의 낱말을 이루었어요.

봄 + 꽃 → 봄꽃
두 낱말이 합쳐져　하나의 낱말을 이룸.

✏ 빈칸에 알맞은 낱말을 써 보세요.

❶ 봄 +
꽃 ⇨ 봄꽃
봄에 피는 꽃

도움말▲ '봄꽃'과 '가을꽃'은 하나의 낱말이지만, '여름 꽃', '겨울 꽃'은 하나의 낱말이 아니므로 띄어써야 해요.
❷ 낮 +
잠 ⇨ 낮잠
낮에 자는 잠

❸ 쇠 +
살 ⇨ 쇠살
쇠로 만든 촉을 꽂은 화살

❹
발 + 병 ⇨ 발병
발에 생기는 병

❺ 비단 +
옷 ⇨ 비단옷
비단으로 지은 옷

26

4 합쳐진 말 2 부잣집

'부잣집'은 '부자'와 '집'이 합쳐진 말이에요. 이처럼 낱말과 낱말이 합쳐져서 하나의 낱말이 될 때에 앞 낱말이 모음으로 끝나면 'ㅅ'이 덧붙기도 하지요.

모음으로 끝남.
부자 + 집 → 부잣집
두 낱말이 합쳐짐.　'ㅅ'이 생김.

✏ 빈칸에 알맞은 낱말을 써 보세요.

❶ 부자 + 집 ⇨ 부잣집
재산이 많아 살림이 넉넉한 사람의 집

❷ 코 + 소리 ⇨ 콧소리
코가 막힌 듯이 내는 소리

도움말▼ '전깃불'은 '전등불'로도 쓸 수 있어요.
❸ 전기 + 불 ⇨ 전깃불
전등에 켜진 불

❹ 아래 + 집 ⇨ 아랫집
아래쪽에 이웃하여 있는 집

❺ 코 + 날 ⇨ 콧날
코끝에서 두 눈 사이까지의 오똑한 선

27

5 모양을 흉내 내는 말 버럭버럭

'버럭버럭'은 불쾌하여 화를 내거나 소리를 지르는 모양을 흉내 낸 말이에요. 이 말을 통해 화를 내는 구체적인 모습을 상상해 볼 수 있지요.

✏️ 빈칸에 알맞은 낱말을 [보기]에서 찾아 써 보세요.

보기

| 부스스 | 뒹굴뒹굴 | 버럭버럭 | 부글부글 | 오들오들 | 팔딱팔딱 |

① 아기가 잠에서 깨어나 　부스스　 눈을 떴다.
　　누웠거나 앉았다가 느리게 슬그머니 일어나는 모양

② 할아버지는 작은 일에도 　버럭버럭　 화를 냈다.
　　불쾌하여 자꾸 화를 내거나 소리를 지르는 모양

　　도움말▼ '펄떡펄떡'은 '팔딱팔딱'보다 센 느낌을 주는 말이에요.
③ 그는 　팔딱팔딱　 뛰면서 상대방을 가로막고 나섰다.
　　성이 나서 참지 못하고 팔딱 뛰는 모양

④ 떨어뜨린 사과가 버스의 앞쪽까지 　뒹굴뒹굴　 굴러갔다.
　　누워서 자꾸 이리저리 구르는 모양

⑤ 추운 날씨에 한 아이가 길거리에서 　오들오들　 떨고 있다.
　　춥거나 무서워서 몸을 계속해서 떠는 모양

⑥ 그녀는 　부글부글　 끓어오르는 화를 참으며 말을 시작했다.
　　언짢은 생각이 뒤섞여 자꾸 마음이 어지럽고 불편한 모양

28

---

6 올바른 발음 볕[별]

받침이 자기의 소리가 아닌 다른 소리로 발음되는 경우가 있어요. '볕'은 [별]으로 '갖바치'는 [갇빠치]로 발음되지요. **도움말▲** 받침소리는 'ㄱ, ㄴ, ㄷ, ㄹ, ㅁ, ㅂ, ㅇ' 7개로만 발음이 돼요. 받침소리가 'ㄷ'으로 바뀌어 발음되는 자음(ㅅ, ㅆ, ㅈ, ㅊ, ㅌ, ㅎ)이 무엇인지 익혀 두는 것이 좋아요.

✏️ 주어진 낱말의 알맞은 발음을 찾아 ○표 하세요.

① 갖바치 ⇨ [갇바치] 　([갇빠치])　 [가빠치]
　　예전에, 가죽신을 만드는 일을 직업으로 하던 사람

② 꽃신 ⇨ [꽃씬] 　([꼳씬])　 [꽃씬]

③ 볕 ⇨ 　([별])　 [볍] [볏]

④ 삿갓 ⇨ [사깐] 　([삳깐])　 [삳깓]
　　비나 햇볕을 막기 위하여 대나 갈대로 엮어서 만들어 머리에 쓰는 물건

⑤ 있다 ⇨ [이따] [잇따] 　([읻따])　

⑥ 히읗 ⇨ [히응] [히읃] 　([히읃])　

도움말▲ 다음은 자음의 이름이에요.
ㄱ(기역), ㄴ(니은), ㄷ(디귿), ㄹ(리을), ㅁ(미음), ㅂ(비읍), ㅅ(시옷), ㅇ(이응), ㅈ(지읒), ㅊ(치읓), ㅋ(키읔), ㅌ(티읕), ㅍ(피읖), ㅎ(히읗), ㄲ(쌍기역), ㄸ(쌍디귿), ㅃ(쌍비읍), ㅆ(쌍시옷), ㅉ(쌍지읒)

더 알아두기 받침 'ㅅ, ㅆ, ㅈ, ㅊ, ㅌ, ㅎ'은 낱말의 끝 또는 자음 앞에서 'ㄷ'으로 발음돼요. '볕'은 [별]으로 '갖바치'는 [갇빠치]로 발음되는 것처럼 말이에요.

29

---

7 잘못 쓰기 쉬운 말 1 가지런히

'들쭉날쭉하지 않고 고르게'를 뜻하는 말은 '가지런이'가 아니라 '가지런히'라고 써야 해요. '이'로 써야 하는지 '히'로 써야 하는지 정확하게 익혀 두도록 해요.

신발을 **가지런히** 정리했다.
　　가지런이(×)

✏️ 다음 문장에 알맞은 낱말을 찾아 ○표 하세요.

① 엄마는 (　빙긋이　/ 빙긋히) 웃으며 나를 안아 주었다.
　　입을 슬쩍 벌릴 듯하면서 소리 없이 가볍게 한 번 웃는 모양

② 꿈을 이루기 위해 (열심이 /　열심히　) 공부해야 한다.
　　어떤 일에 온 정성을 다하여

③ 책상을 (　깨끗이　/ 깨끗히) 정리하니 마음이 상쾌하다.
　　가지런히 잘 정돈되어 말끔하게

　　도움말▼ '빼꼼히'는 '빼꼼'으로도 쓸 수 있어요.
④ 문이 열리자 아기가 (빼꼼이 /　빼꼼히　) 얼굴을 내밀었다.
　　작은 구멍이나 틈 사이로 아주 조금만 보이는 모양

⑤ 그는 반장으로서 (당연이 /　당연히　) 해야 할 일을 했을 뿐이다.
　　이치로 보아 마땅히 그러하게

⑥ 나는 현관에 있는 신발들을 (가지런이 /　가지런히　) 정리해 두었다.
　　들쭉날쭉하지 않고 고르게

30

---

8 잘못 쓰기 쉬운 말 2 꿰매다

'옷 따위의 해지거나 풀어진 데를 바늘로 깁거나 얽어매다.'를 나타내는 말은 '꿰매다'예요. 이를 '꼬매다'로 잘못 쓰지 않도록 주의해야 해요.

해진 옷을 **꿰매다**.
　　꼬매다(×)

✏️ 밑줄 친 낱말을 알맞게 고쳐 써 보세요.

① 떨어진 양말을 <u>꼬매다</u>. ⇨ 　꿰　매　다
　　옷 따위를 바늘로 깁거나 얽어매다.
　　도움말▲ '꼬매다'는 '꿰매다'의 방언이에요. 잘못 쓰지 않도록 주의해야 해요.

② 오빠는 성격이 정말 <u>새심하다</u>. ⇨ 　세　심　하　다
　　작은 일에도 꼼꼼하여 빈틈이 없다.

③ 내 동생은 피부가 아주 <u>메끄럽다</u>. ⇨ 　매　끄　럽　다
　　저절로 밀리어 나갈 정도로 반드럽다.

④ 다른 사람의 마음을 잘 <u>해아리다</u>. ⇨ 　헤　아　리　다
　　짐작하여 미루어 생각하다.

⑤ 많은 사람들 앞에 서자 얼굴이 <u>빨게지다</u>. ⇨ 　빨　개　지　다
　　빨갛게 되다.

31

9 뜻이 반대인 말 낭비하다/절약하다

'낭비하다'는 '시간이나 재물 따위를 함부로 쓰다.'라는 말이고, '절약하다'는 '함부로 쓰지 아니하고 꼭 필요한 데에만 써서 아끼다.'라는 말이에요.

물을 **낭비하다**. ⇄ 물을 **절약하다**.
함부로 쓰다.　　　　꼭 필요한 데에만 쓰다.

✎ 밑줄 친 낱말과 뜻이 반대인 낱말을 써 보세요.

❶ 날씨에 비해 입은 옷이 <u>얇다</u>. ⇨

두께가 보통의 정도보다 크다.

❷ 소중한 시간을 <u>낭비하다</u>. ⇨

　도움말▲ '낭비하다'와 비슷한 말로 '허비하다'가 있어요.
함부로 쓰지 아니하고 꼭 필요한 데에만 써서 아끼다.

❸ 자동차 부품을 <u>수출하다</u>. ⇨

다른 나라로부터 상품이나 기술 따위를 국내로 사들이다.

❹ 여행에서 돌아오니 마음이 <u>편안하다</u>. ⇨

마음이 편하지 않고 조마조마하다.

❺ 다른 사람의 도움이 <u>필요하다</u>. ⇨

필요하지 아니하다.

32

---

10 포함하는 말 옷감

'옷을 짓는 데 쓰는 천'을 뜻하는 '옷감'은 그 구체적인 종류를 나타내는 낱말인 '광목', '비단', '모시'를 포함한다고 할 수 있어요.

✎ 다음 표의 빈칸에 알맞은 낱말을 [보기]에서 찾아 써 보세요.

보기
신발　운혜　냉장고　발막신　세탁기　가전제품

❶

　도움말▲ '마른신'은 '기름을 입히지 않은 가죽신'을 말해요.

❷

33

---

11 타교과 어휘 과학

✎ 빈칸에 알맞은 낱말을 [보기]에서 찾아 써 보세요.

보기
분류　수집　유용　전시　추리　측정

❶ 관찰한 식물들을 모양에 따라 몇 종류로 **분류** 했다.
종류에 따라서 가름.

❷ 대상을 **측정** 할 때에는 알맞은 도구를 선택하여야 한다.
일정한 양을 기준으로 하여 같은 종류의 다른 양의 크기를 잼

❸ 앞에 오는 숫자들을 보고 뒤에 어떤 숫자가 올지 **추리** 했다.
알고 있는 것을 바탕으로 알지 못하는 것을 미루어서 생각함.

❹ 이 박물관에는 옛날 사람들이 입었던 옷이 **전시** 되어 있다.
여러 가지 물품을 한곳에 차려 놓고 보임.

❺ 이 책은 설명이 쉽게 되어 있어 어린 학생들에게 **유용** 하다.
쓸모가 있음.
　도움말▲ '무용'은 '쓸모가 없음.'을 뜻하는 말이에요. '무용지물'은 '쓸모없는 물건이나 사람'을 뜻하지요.

❻ 이 미술관에는 아주 오래전부터 **수집** 된 그림이 많이 있다.
취미나 연구를 위하여 여러 가지 물건이나 재료를 찾아 모음.

34

✎ 밑줄 친 낱말에 알맞은 뜻을 찾아 연결하세요.

❶ 간장이 잘 <u>발효</u>되어 맛이 아주 좋다.

❷ 강물에 <u>운반</u>된 모래가 강 하류에 쌓였다.

　도움말▼ 산이나 강, 바닷가의 절벽이 샌드위치처럼 여러 층을 이루고 있는 모습을 떠올리면 '지층'을 이해할 수 있어요.

❸ 이 지역의 <u>지층</u>은 계단 모양을 이루고 있다.

❹ 이번 방학 숙제는 식물 <u>표본</u>을 만드는 것이다.

❺ 지난 주말, 박물관에 가서 여러 종류의 공룡 <u>화석</u>을 보았다.

❻ 우리 지역에서 아주 오래 전에 만들어진 도자기가 <u>발굴</u>되었다.

강물이나 바람이 흙, 모래, 자갈 따위를 옮겨 나름.

효모나 세균 등이 음식물 등을 변화시키는 현상

아주 옛날의 생물의 뼈나 몸의 흔적이 돌이 되어 남아 있는 것

서로 다른 시기에 생겼거나 형태나 성분이 달라서 생긴 땅의 층

땅속이나 큰 덩치의 흙, 돌 더미 따위에 묻혀 있는 것을 찾아서 파냄.

생물을 연구에 쓰기 위해 특별한 방법으로 오래가도록 만든 것

35

3 장 느낌을 살려 말해요

국어 교과서 88~113쪽

1 포함하는 말 금속

'열이나 전기가 잘 통하고 윤이 나는 물질을 통틀어 이르는 말'인 '금속'은 그 구체적인 종류를 나타내는 낱말인 '구리', '아연', '니켈' 따위를 포함한다고 할 수 있어요.

금속			→ 포함하는 말
구리	아연	니켈	→ 포함되는 말

✎ 다음 낱말들을 포함하는 낱말에 ○표 하세요.

❶ 괭이, 쟁기, 삽 ⇨ 농산물　(농기구)　가구

　도움말▲ '농기구'는 '농사를 짓는 데 쓰는 기구'로 '농구'라고도 해요.

❷ 쌀, 보리, 콩, 조 ⇨ 과일　(곡식)　채소

❸ 반지, 귀고리, 팔찌 ⇨ 그릇　가구　(장신구)

❹ 구리, 아연, 알루미늄 ⇨ (금속)　보석　종이

❺ 호주, 뉴질랜드, 아프리카 ⇨ (국가)　지구　바다

38

2 뜻을 더하는 말 -료

'-료'는 낱말의 뒤에 붙어 '이용한 요금'의 뜻을 더하는 말이에요.

이용	+	-료	→	이용료
전기			→	전기료

　도움말▲ '-료'와 같이 낱말의 뒤에 붙어 쓰이는 비슷한 말로 '-비(費)'가 있어요. '주차비, 교통비, 통신비'와 같이 쓰여요.

✎ 주어진 뜻에 알맞은 낱말을 써 보세요.

❶ 전기를 사용한 요금 ⇨ 전 기 료

❷ 이용한 값으로 내는 요금 ⇨ 이 용 료

❸ 주차하는 대가로 내는 요금 ⇨ 주 차 료

❹ 수업의 대가로 학생이 내는 돈 ⇨ 수 업 료

❺ 교통수단을 이용한 대가로 내는 요금 ⇨ 교 통 료

❻ 통신 시설을 이용하는 데에 내는 요금 ⇨ 통 신 료

7일　월　일

39

3 감탄을 나타내는 말 오

우리말에는 '오', '앗'처럼 말하는 이의 본능적인 놀람이나 느낌, 부름, 응답 따위를 나타내는 말이 있어요.

> **오!** 꽃이 정말 예쁘다.
> 놀람, 느낌을 나타냄.

✎ 느낌, 부름, 응답 따위를 나타내는 낱말을 찾아 ○표 하세요.

❶
(앗!) 깜짝이야.

❷
(어머!) 이게 누구야?

　도움말▼ '어이쿠'는 '어이구'보다 센 느낌을 주는 말이에요.

❸
(오,) 정말 귀엽다.

❹
(어이쿠!) 벌써 시간이 이렇게 되었네.

40

4 주제별 어휘 웃음

웃음에는 다양한 종류가 있어요. '너털웃음'은 '크게 소리를 내어 시원하고 당당하게 웃는 웃음'을 뜻하고, '눈웃음'은 '소리 없이 눈으로만 가만히 웃는 웃음'을 뜻해요.
　도움말▲ '쓴웃음'은 '어이가 없거나 마지못하여 짓는 웃음'을 뜻하고, '억지웃음'은 '웃기 싫은 것을 억지로 웃는 웃음'을 뜻해요.

✎ 다음 설명에 알맞은 낱말을 찾아 연결하세요.

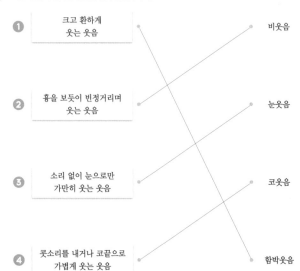

❶ 크고 환하게 웃는 웃음　—　비웃음

❷ 흉을 보듯이 빈정거리며 웃는 웃음　—　눈웃음

❸ 소리 없이 눈으로만 가만히 웃는 웃음　—　코웃음

❹ 콧소리를 내거나 코끝으로 가볍게 웃는 웃음　—　함박웃음

❺ 크게 소리를 내어 시원하고 당당하게 웃는 웃음　—　너털웃음

7일　월　일

41

5 성질을 바꾸는 말 −하다

이름을 나타내는 말 뒤에 '−하다'가 붙어 움직임을 나타내는 말이 되는 경우가 있어요. '방지'는 '어떤 일이나 현상이 일어나지 못하게 막음.'이라는 뜻이고 '방지하다'는 '어떤 일이나 현상이 일어나지 못하게 막다.'라는 뜻이에요.

미끄럼 **방지** 시설	미끄럼을 **방지하다**.
이름을 나타내는 말	움직임을 나타내는 말

🖉 빈칸에 알맞은 낱말을 [보기]에서 찾아 써 보세요.

보기

방지　수확　채집　처리　철수　활용

① 과수원에서 잘 익은 사과를 **수확** 했다.
　익거나 다 자란 농작물을 거두어들임.

② 그동안 미뤄 둔 일을 빠르게 **처리** 했다.
　일 따위를 순서에 따라 정리하여 치르거나 마무리를 지음.

도움말▼ '사용'은 '활용'과 비슷한 뜻을 가지고 있어요.

③ 공터를 주차 공간으로 **활용** 할 계획이다.
　충분히 잘 이용함.

④ 비가 내려서 조명 장비를 촬영장에서 **철수** 했다.
　거두어들이거나 걷어치움.

⑤ 토요일에 아빠와 함께 산에 가서 나비를 **채집** 했다.
　널리 찾아서 얻거나 캐거나 잡아 모음.

⑥ 이가 썩는 것을 **방지** 하기 위해 양치질을 올바르게 해야 한다.
　어떤 일이나 현상이 일어나지 못하게 막음.

42

보기

결정　부여　사냥　실현　안내　토론

⑦ 사냥꾼이 들짐승을 **사냥** 하고 있다.
　도구를 사용하여 산이나 들의 짐승을 잡음.

⑧ 그는 연주회에 특별한 의미를 **부여** 했다.
　사물이나 일에 가치 따위를 붙여 줌.

⑨ 드디어 가수가 되고 싶다는 꿈을 **실현** 했다.
　꿈, 기대 따위를 실제로 이룸.

⑩ 국어 시간에 '개인 컵을 사용해야 한다.'라는 주제로 **토론** 했다.
　어떤 문제에 대하여 여러 사람이 각각 의견을 말하며 논의함.

⑪ 학급 회의에서 교실 게시판을 다시 꾸미기로 **결정** 했다.
　행동이나 태도를 분명하게 정함.

⑫ 외국인 관광객에게 우리나라의 전통을 **안내** 할 예정이다.
　어떤 내용을 소개하여 알려 줌.

43

---

6 올바른 발음 희망[히망]

낱말의 첫 글자인 '의'는 [의]로 발음하고, 낱말의 첫 글자 이외의 '의'는 [의]나 [이]로 발음해요. 하지만 '늬'와 '희'는 항상 [니]와 [히]로 발음해야 해요.

의사 → [의사]	주의 → [주의]/[주이]	희망 → [히망]

도움말▲ '의'가 다른 말을 도와주는 말로 쓰일 때에는 [에]로도 발음할 수 있어요.
예 나의[나에] 꿈

🖉 밑줄 친 낱말의 알맞은 발음을 찾아 ○표 하세요.

① 나는 누나의 의견에 동의한다.　⇨　[동의]　([동이])
　의견을 같이함.

② 친구 사이에는 의리를 지켜야 한다.　⇨　[으:리]　([의:리])
　사람으로서 마땅히 지켜야 할 도리

③ 나의 장래 희망은 가수가 되는 것이다.　⇨　([히망])　[희망]
　어떤 일을 이루거나 하기를 바람.

④ 내가 그 일을 혼자 할 수 있을지 의문이다.　⇨　[으문]　([의문])
　의심스럽게 생각함.

⑤ 이 책상은 나무의 무늬가 그대로 살아 있다.　⇨　([무니])　[무늬]
　물건의 겉에 나타난 어떤 모양

⑥ 우리 집 담장에 흰색으로 페인트칠을 했다.　⇨　[흰색]　([힌색])
　눈이나 우유의 빛깔과 같이 밝고 선명한 색

44

---

7 낱말 퀴즈

🖉 빈칸에 알맞은 낱말을 주어진 글자 카드로 만들어 써 보세요.

민　자　정　주　책　치

① 올바른 **정책** 을 세우는 일이 중요하다.
　정치적 목적을 이루기 위한 방안

② 우리 학교 학생들은 **자치** 정신이 뛰어나다.
　자기 일을 스스로 다스림.

③ 공사를 시작하기에 앞서 **주민** 들의 반대에 부딪혔다.
　일정한 지역에 살고 있는 사람

의　조　지　합　항

도움말▼ '조항'과 비슷한 뜻을 가진 낱말로는 '조목'이 있어요.

④ 그들은 토론 끝에 실천 **조항** 을 만들었다.
　법이나 규칙 따위의 낱낱의 항목

⑤ 회의를 통해 그 문제에 대한 **합의** 를 이끌어 냈다.
　서로 의견이 일치함. 또는 그 의견

⑥ 그들은 뜻과 **의지** 가 있었기 때문에 성공할 수 있었다.
　어떤 일을 이루고자 하는 마음

45

띄어쓰기

'예쁜 것', '작은 것'과 같이 '것'은 혼자서는 쓰일 수 없고, 다른 말의 꾸밈을 받아야 쓰일 수 있는 말이에요. 이와 같은 말에는 '수'나 '줄'과 같은 말도 있지요. 한편, 가리키는 말로 사용하는 '이것', '저것', '그것' 등은 하나의 낱말이므로 '이', '저', '그'와 '것'을 붙여 써야 해요.

도움말▲ '예쁜 것', '작은 것'에서 '예쁜'과 '작은'을 떼어 내면 '것'은 특별한 의미를 갖지 못해요. 이런 경우의 '것'을 문법에서는 혼자 쓰일 수 없다고 하지요.

✎ 다음 문장을 주어진 횟수에 따라 바르게 띄어 써 보세요.

① 먹을것이있니? (2회)

| 먹 | 을 | | 것 | 이 | | 있 | 니 | ? | |

② 나는피아노를칠수있다. (3회)

| 나 | 는 | | 피 | 아 | 노 | 를 | | 칠 | | 수 |
| 있 | 다 | . | | | | | | | | |

③ 민지가거짓말을할줄은몰랐다. (4회)

| 민 | 지 | 가 | | 거 | 짓 | 말 | 을 | | 할 | |
| 줄 | 은 | | 몰 | 랐 | 다 | . | | | | |

④ 그길은어두우니조심할것. (4회)

| 그 | | 길 | 은 | | 어 | 두 | 우 | 니 | | 조 |
| 심 | 할 | | 것 | . | | | | | | |

46

---

⑤ 교실청소는우리가함께할수있어요. (6회)

| 교 | 실 | | 청 | 소 | 는 | | 우 | 리 | 가 | |
| 함 | 께 | | 할 | | 수 | | 있 | 어 | 요 | . |

도움말▼ '제'는 '저의'가 줄어든 말이에요.

⑥ 이것은제것이아니에요. (3회)

| 이 | 것 | 은 | | 제 | | 것 | 이 | | 아 | 니 |
| 에 | 요 | . | | | | | | | | |

⑦ 저에게그것을빌려주시겠어요? (3회)

| 저 | 에 | 게 | | 그 | 것 | 을 | | 빌 | 려 | |
| 주 | 시 | 겠 | 어 | 요 | ? | | | | | |

⑧ 저것은체육시간에사용할공이에요. (4회)

| 저 | 것 | 은 | | 체 | 육 | | 시 | 간 | 에 | |
| 사 | 용 | 할 | | 공 | 이 | 에 | 요 | . | | |

⑨ 그필통은제것이아니에요. (4회)

| 그 | | 필 | 통 | 은 | | 제 | | 것 | 이 | |
| 아 | 니 | 에 | 요 | . | | | | | | |

47

9일
월
일

---

9 (타교과 어휘) 도덕

✎ 빈칸에 알맞은 낱말을 [보기]에서 찾아 써 보세요.

보기
근면   도리   실천   절제   정직   협동

① 계획을 세우는 것보다 [실천] 하는 것이 더 중요하다.
생각한 바를 실제로 행함.

② 힘들 때 위로를 해 주는 것이 친구의 [도리] 라고 생각한다.
사람이 마땅히 행하여야 할 바른길

도움말▼ '협동'은 '협력'과 뜻이 비슷한 말이에요.

③ 우리 반 친구들이 서로 [협동] 하여 교실을 예쁘게 꾸몄다.
서로 마음과 힘을 하나로 합함.

④ 남을 속이거나 거짓말을 하는 것은 [정직] 하지 못한 것이다.
마음에 거짓이나 꾸밈이 없이 바르고 곧음.

⑤ 영수는 컴퓨터 게임을 더 하고 싶었지만 스스로 [절제] 하였다.
정도에 넘지 아니하도록 자기를 다스리는 것

⑥ 선생님은 결석과 지각을 하지 않는 민주에게 [근면] 하다고 칭찬하셨다.
부지런히 일하며 힘씀.

48

✎ 빈칸에 알맞은 낱말을 써서 문장을 완성해 보세요.

① 서준이는 부지런해서 다른 아이들의 [모][범] 이 된다.
본받아 배울 만한 대상

도움말▲ '모범'은 '본보기'와 뜻이 비슷한 말이에요

② 우리 학교 교장 선생님은 많은 학생들의 [존][경] 을 받는다.
남을 공경하고 높이 받들어 모시는 것

③ 여러 사람이 함께 생활할 때에는 [규][칙] 을 잘 지켜야 한다.
여러 사람이 다 같이 지키기로 작정한 법칙

④ 나는 [양][심] 에 찔려 엄마에게 내 잘못을 사실대로 말했다.
자신의 행위에 대하여 옳고 그름을 판단하고 바른 말과 행동을 하려는 마음

⑤ 아빠는 항상 내가 우리 집의 가장 귀한 [보][배] 라고 말씀하신다.
아주 귀하고 소중하며 꼭 필요한 사람이나 물건

도움말▼ '마음가짐'은 '마음씨'와 바꿔 쓸 수 있어요.

⑥ 친구 사이에는 서로를 생각하는 따뜻한 [마][음][가][짐] 을 가져야 한다.
마음의 자세

49

9일
월
일

4장 일에 대한 의견

1 사실과 의견

사실과 의견을 구별할 수 있어야 정보를 올바르게 이해하고 받아들일 수 있어요.

🖊 주어진 뜻에 알맞은 낱말을 써 보세요.

① 성질이나 종류에 따라 갈라놓음. ⇨ 구 별

② 어떤 대상에 대하여 가지는 생각 ⇨ 의 견

③ 실제로 있었던 일이나 현재에 있는 일 ⇨ 사 실

🖊 다음 문장에 어울리는 낱말을 찾아 ○표 하세요.

① 이번 일은 부모님의 (사실 /⟨의견⟩)을 따르기로 하였다.

② 쥐들이 수박을 좋아한다는 것은 새롭게 알게 된 (⟨사실⟩/ 의견)이다.

도움말▼ '혼동'은 '구별하지 못하고 뒤섞어서 생각함.'이라는 뜻이에요.

③ 신문 기사를 읽을 때에는 사실과 의견을 (⟨구별⟩/ 혼동)하며 읽어야 한다.

52

🖊 '사실'과 '의견'에 해당하는 것을 찾아 알맞게 연결하세요.

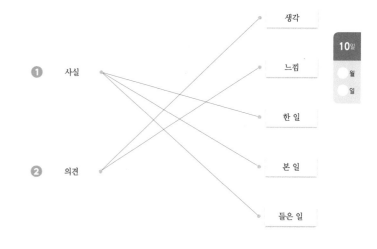

생각
느낌
한 일
본 일
들은 일

① 사실
② 의견

🖊 다음 내용이 사실인지, 의견인지 써 보세요.

① 박물관에서 단원 김홍도의 그림을 봄. ⇨ 사실

② 친구와 함께 현장 체험 학습을 다녀옴. ⇨ 사실

도움말▼ '실감'은 '실체로 체험하는 느낌'을 뜻하는 말이에요.

③ 그림 속 사람들의 모습과 표정이 실감 났음. ⇨ 의견

53

2 주제별 어휘 그림

'그림'은 '선이나 색채를 써서 사물의 모양을 나타낸 것'을 가리키는 말이에요. '그림'을 감상할 때에는 그림의 대상과 주제, 표현 방법 등에 주목할 필요가 있어요.

🖊 다음 글의 빈칸에 알맞은 낱말을 [보기]에서 찾아 써 보세요.

보기
대비   묘사   배치   풍경   화면

이 그림은 밤의 ① 을 ② 하고 있다. 짙은 파란색을 사용하여 밤하늘을 표현하였고, 이와 ③ 되는 밝은 노란색으로 별과 달을 표현했다. 밤하늘 아래에는 마을을 ④ 하여 ⑤ 을 꾸몄다. 특히 밤하늘과 마을, 나무의 구도가 참 멋지다.

도움말▲ '구도'는 '그림에서 모양, 색깔, 위치 따위의 짜임새'를 뜻하는 말이에요.

① 산이나 들, 강, 바다 따위의 자연이나 지역의 모습 ⇨ 풍경

② 어떤 대상을 언어로 말하고 적거나, 그림을 그려서 표현함. ⇨ 묘사

③ 그와 반대되는 형태, 색 등을 나란히 두는 일 ⇨ 대비

④ 사람이나 물건을 일정한 자리에 알맞게 나누어 둠. ⇨ 배치

⑤ 영화나 텔레비전에 나타나는 영상 ⇨ 화면

54

3 뜻을 더하는 말 -감

'-감'은 다른 낱말의 뒤에 붙어 '느낌'의 의미를 더하는 말이에요.

생동 + -감 → 생동감
율동   '느낌'의 뜻을 더함. → 율동감

🖊 다음 밑줄 친 부분을 하나의 낱말로 바꿔 써 보세요.

① 이 그림은 전체적으로 색이 주는 느낌이 좋다. ⇨ 색 감

② 신나는 노래에는 규칙에 따라 주기적으로 움직이게 하는 느낌이 있다. ⇨ 율 동 감

③ 재래시장에 가면 생기 있게 살아 움직이는 듯한 느낌을 받을 수 있다. ⇨ 생 동 감

④ 현장에서 구조된 사람들은 금세 몸과 정신이 편안하고 고요한 느낌을 되찾았다. ⇨ 안 정 감

 도움말▲ '편안하여 조금의 위험이나 탈이 없는 느낌'을 나타내는 말은 '안전감'이에요.

⑤ 그녀는 음악적 규칙에 따라 반복되며 움직이는 느낌을 살려 피아노를 연주했다. ⇨ 리 듬 감

55

4 뜻이 여러 가지인 말 빌다, 빌리다

✎ 밑줄 친 낱말의 알맞은 뜻을 찾아 번호를 써 보세요.

빌다
① 바라는 것을 이루게 해 달라고 신이나 사람, 사물 따위에 간절히 청하다.
② 잘못을 용서해 달라고 청하다.
③ 생각한 대로 이루어지길 바라다.

도움말▲ '빌다'는 '남의 물건을 공짜로 달라고 호소하여 얻다.'라는 뜻으로도 쓰여요.

① 하늘에 소원을 빌다. ⇨ ①

② 얼른 나으시길 빌어요. ⇨ ③

③ 선생님께 용서를 빌다. ⇨ ②

④ 합격을 마음속으로 빌다. ⇨ ③

⑤ 보름달을 보며 소원을 빌다. ⇨ ①

⑥ 피해자의 가족에게 용서를 빌다. ⇨ ②

56

빌리다
도움말▼ '빌려주다'는 '물건이나 돈을
① 남의 것을 돌려주기로 하고 잠시 얻어 쓰다.   나중에 도로 돌려받기로 하고 얼마 동안
② 남의 도움을 받거나 필요한 부분을 이용하다.   내어 주다.'라는 뜻이에요.
③ 형식 또는 남의 말이나 글 따위를 취하여 따르다.

⑦ 친구에게서 펜을 빌리다. ⇨ ①

⑧ 일손을 빌려 일을 겨우 마쳤다. ⇨ ②

⑨ 친구의 힘을 빌려 책상을 옮겼다. ⇨ ②

⑩ 예식장에서 웨딩드레스를 빌리다. ⇨ ①

⑪ 이 자리를 빌려 감사의 말씀을 드립니다. ⇨ ③

⑫ 어부의 말을 빌리면 요즘은 고기가 잘 안 잡힌다고 한다. ⇨ ③

57

---

5 헷갈리기 쉬운 말 낫다/낳다

'낫다'는 '병이나 상처 따위가 고쳐져 원래대로 되다.'라는 뜻을 가진 말이고, '낳다'는 '배 속의 아이, 새끼, 알을 몸 밖으로 내놓다.', '어떤 결과를 이루거나 가져오다.'라는 뜻을 가진 말이에요. 이 말들은 잘 구분해서 사용해야 해요.

|감기가 **낫다**. | 새끼를 **낳다**. |
|낳다(×) | 낫다(×) |

도움말▲ '낫다'는 '보다 더 좋거나 앞서 있다.'라는 뜻으로도 쓰여요.
예 동생보다 형이 인물이 낫다.

✎ 다음 문장에 어울리는 낱말을 찾아 ○표 하세요.

① 열심히 노력을 해서 좋은 결과를 (낫다 /(낳다)).

② 감기가 ((나은)/ 낳는) 것 더니 다시 심해졌다.

③ 마당에서 키우는 닭이 커다란 알을 (낫다 /(낳다)).

④ 넘어져서 생긴 상처가 깨끗하게 ((나았다)/ 낳았다).

⑤ 옆집 소가 오늘 아침에 송아지를 (나았다 /(낳았다)).

⑥ 잠을 푹 잤더니 감기가 씻은 듯이 다 ((나았다)/ 낳았다).

더 알아두기 '낳다'는 문장에서 '낳았고, 낳으니, 낳아서'로 활용하고 '낫다'는 '나았고, 나으니, 나아서'로 활용해요.

58

---

6 행동을 당하는 말 -되

'-되다'는 사물이나 사람이 다른 힘에 의하여 움직이게 되는 것을 말해요. 예를 들어 '전시되다'는 '여러 가지 물품이 한곳에 벌여 놓아져 볼 수 있게 되다.'라는 뜻을 가지고 있어요.

그림을 **전시하다**. → 그림이 **전시되다**.

도움말▲ '-되다'는 '행동을 당함.'의 뜻을 더하기도 하지만 '성질이나 상태를 나타내는 말'을 만들기도 해요. 예 거짓되다

✎ 밑줄 친 낱말을 '행동을 당하는 말'로 바꿔 써 보세요.

① 박물관에 그림을 전시하다.
    여러 물품을 한곳에 벌여 놓고 보게 하다.
    그림이 박물관에 [전시되다].

② 소중한 문화재를 그대로 보전하다.
    온전하게 보호하여 유지하다.
    소중한 문화재가 그대로 [보전되다].

③ 교실에 학생들의 자리를 배치하다.
    사람이나 물건 따위를 알맞게 나누어 놓다.
    학생들의 자리가 교실에 [배치되다].

④ 운동을 잘 하는 친구들을 선별하다.
    가려서 따로 나누다.
    운동을 잘 하는 친구들이 [선별되다].

⑤ 평소에 가진 생각을 글로 표현하다.
    생각이나 그림으로 나타내다.
    평소에 가진 생각이 글로 [표현되다].

59

7 낱말 퀴즈

✏️ 빈칸에 알맞은 낱말을 주어진 글자 카드로 만들어 써 보세요.

> 기　　새　　멸　　위　　종　　텃

① 도도새는 1981년에 [멸종]이 되었다.
생명의 한 종류가 아주 없어짐.

> 도움말 ▼ '철새'는 '철을 따라 이리저리 옮겨 다니며 사는 새'예요.

② 괭이갈매기는 독도에 사는 [텃새]이다.
철을 따라 자리를 옮기지 아니하고 거의 한 지방에서만 사는 새

③ 갑작스러운 [위기] 상황에도 잘 대처해야 한다.
위험한 고비나 시기

> 계　　력　　명　　보　　생　　태　　호

④ 잡초는 [생명력]이 질겨서 쉽사리 죽지 않는다.
생물체가 생명을 유지하여 나가는 힘

⑤ [생태계]가 파괴되지 않도록 우리 모두 노력해야 한다.
일정한 곳에서 생물들이 서로 관계를 맺으며 균형과 조화를 이루는 자연의 세계

⑥ 환경을 [보호]하기 위하여 일회용품의 사용을 줄여야 한다.
잘 지키고 보살핌.

8 올바른 발음 칼날[칼랄]

> 'ㄴ'은 'ㄹ'의 앞이나 뒤에서 [ㄹ]로 소리가 나요. 하지만 몇몇 한자어는 'ㄴ' 다음에 오는 'ㄹ'이 [ㄴ]으로 소리가 나요.
>
> **신라 → [실라]**　　**칼날 → [칼랄]**　　**등산로 → [등산노]**

✏️ 밑줄 친 낱말의 알맞은 발음을 찾아 ○표 하세요.

① 칼날이 매우 날카롭다. ⇨ [칸난]　([칼랄])

② 판단력을 키워야 한다. ⇨ ([판단녁])　[판달력]

③ 차에 연료를 보충하다. ⇨ [연뇨]　([열료])

④ 등산로 입구에서 만나자. ⇨ ([등산노])　[등산로]

⑤ 그 훈련은 성공적이었다. ⇨ [훈·년]　([훌·련])

⑥ 한라산의 높이는 1,950미터이다. ⇨ [한·나산]　([할·라산])

9 타교과 어휘 수학

✏️ 빈칸에 알맞은 낱말을 [보기]에서 찾아 써 보세요.

> **보기**
> 둔각　　배열　　예각　　직각　　통계　　막대그래프

① 130도의 각을 가진 삼각형은 [둔각] 삼각형이다.
90도보다는 크고 180도보다는 작은 각

② 피아노의 건반은 낮은음부터 높은음으로 [배열]되어 있다.
일정한 차례나 간격에 따라 벌여 놓음.

③ 이 삼각형은 한 각이 90도인 것을 보니 [직각] 삼각형이다.
두 직선이 만나서 이루는 90도의 각

④ 이 각은 60도로, 90도보다 작으므로 [예각]이라 할 수 있다.
직각보다 작은 각

⑤ [막대그래프]를 이용하면 지역별 강수량을 한눈에 알 수 있다.
사물의 양을 막대 모양의 길이로 나타낸 그래프
> 도움말 ▲ '강수량'은 '일정한 기간 동안 비나 눈 등이 내려 생기는 물의 양'을 뜻하는 말이에요.

⑥ 우리 반 학생들이 좋아하는 과목을 [통계]를 내어 보니 수학이 가장 많았다.
어떤 사물이 나타나는 수나 횟수를 모두 합한 수

✏️ 밑줄 친 낱말에 알맞은 뜻을 찾아 연결하세요.

① 간단한 곱셈은 덧셈식으로 풀 수 있다. ── 같은 일을 되풀이함.

② 우리 모둠에서는 슬기가 발표자로 선정되었다. ── 여럿 가운데서 어떤 것을 뽑아 정함.

③ 이 계산식은 편리해서 많은 사람들이 사용한다. ── 몇 개의 수나 식 따위를 더하여 계산하거나 셈하는 식

④ 일정하게 반복되는 숫자를 통해 규칙을 찾아냈다. ── 주어진 수를 일정한 규칙에 따라 처리하여 수를 구하는 식

⑤ 다른 사람이 풀 수 없게 암호를 복잡하게 만들었다. ── 운동 경기 따위에서 세운 성적이나 결과를 수치로 나타냄.

⑥ 지선이는 이번 달리기 대회에서 교내 최고 기록을 세웠다. ── 비밀을 지키기 위하여 관계가 있는 사람들끼리만 알 수 있도록 정한 기호

> 도움말 ▲ '기록'은 '주로 후일에 남길 목적으로 어떤 사실을 적음. 또는 그런 글'이라는 의미로도 쓰여요.

5장 내가 만든 이야기

📖 국어 교과서 138~165쪽

1 뜻을 더하는 말 -다랗다

'-다랗다'는 '그 정도가 꽤 뚜렷함.'의 뜻을 더하는 말이에요. 그런데 이 말이 더해질 때 앞말의 형태가 변하는 경우가 있어요.

굵다 + -다랗다 → 굵다랗다   크다 + -다랗다 → 커다랗다

✏️ 두 말이 합쳐져 만들어진 알맞은 낱말을 찾아 ○표 하세요.

① 가늘다 + -다랗다 ⇨ (가느다랗다) / 가늘다랗다

② 크다 + -다랗다 ⇨ 크다랗다 / (커다랗다)

③ 굵다 + -다랗다 ⇨ 국따랗다 / (굵다랗다)

도움말 ▼ '잘다'는 '모양이 가늘고 작다.'를 뜻하는 말이에요.

④ 잘다 + -다랗다 ⇨ (잔다랗다) / 잘다랗다

도움말 ▼ '짧다'에 '-다랗다'가 붙은 말은 '짤따랗다'예요.

⑤ 길다 + -다랗다 ⇨ (기다랗다) / 길다랗다

66

2 모양을 흉내 내는 말 깜박깜박

'깜박깜박'은 불빛 따위가 자꾸 어두워졌다 밝아지는 모양을 흉내 낸 말이에요. 이와 같은 말들은 '훅훅', '빙글빙글'처럼 같은 말을 반복하는 경우가 많아요.

등대가 깜박깜박 불을 밝힌다.
불빛 따위가 자꾸 어두워졌다 밝아지는 모양

✏️ 빈칸에 알맞은 낱말을 [보기]에서 찾아 써 보세요.

보기

꾹꾹   훅훅   빙글빙글   깜박깜박   쑥덕쑥덕

① 땅에서 뜨거운 열기가 훅훅 솟아오른다.
냄새나 바람, 열기 따위의 기운이 잇따라 밀려드는 모양

도움말 ▼ '깜빡깜빡'은 '깜박깜박'보다 센 느낌을 주는 말이에요.

② 밤하늘에 반딧불이가 깜박깜박 빛나고 있다.
불빛 따위가 자꾸 어두워졌다 밝아지는 모양

③ 얼음판 위의 팽이가 빙글빙글 원을 그리며 돈다.
큰 것이 잇따라 미끄럽게 도는 모양

도움말 ▼ '쑥덕쑥덕'은 '숙덕숙덕'보다 센 느낌을 주는 말이에요.

④ 아이들이 모여 쑥덕쑥덕 이야기를 하고 있다.
남이 알아듣지 못할 만큼 작은 소리로 은밀하게 자꾸 이야기하는 모양

⑤ 할머니는 밥을 밥공기에 꾹꾹 눌러 담아 주셨다.
잇따라 또는 매우 힘을 주어 누르거나 조이는 모양

67

3 꾸며 주는 말 영영

'영영'은 '영원히 언제까지나'라는 뜻을 가진 말이에요. 이와 같은 말은 다른 말이나 문장을 꾸며 주는 말로 쓰여요.

영영 소식이 없다.
꾸며 줌.

✏️ 빈칸에 알맞은 낱말을 [보기]에서 찾아 써 보세요.

보기

만일   영영   잔뜩   드디어   감쪽같이   고스란히

① 잔칫집에 가서 음식을 잔뜩 먹었다.
한도에 이를 때까지 가득

② 드디어 한 달 정도 계속되어 온 장마가 끝났다.
무엇으로 말미암아 그 결과로

③ 내가 키우던 강아지의 모습을 영영 잊을 수 없다.
영원히 언제까지나

④ 심부름을 하고 엄마에게 받은 용돈을 고스란히 저금했다.
건드리지 아니하여 조금도 변하지 아니하고 그대로

⑤ 실수로 찢어 버린 종이를 새것처럼 감쪽같이 붙여 놓았다.
꾸미거나 고친 것이 전혀 알아챌 수 없을 정도로 티가 나지 않게

⑥ 만일 위험한 상황에 처하면, 어른에게 도움을 요청해야 한다.
혹시 있을지도 모르는 뜻밖의 경우

68

4 움직임을 나타내는 말 쓰다듬다

'쓰다듬다'는 '손으로 살살 어루만지다.'라는 뜻의 움직임을 나타내는 말이에요. 이처럼 움직임을 나타내는 말은 누군가의 동작이나 작용을 표현해 주어요.

아이가 강아지의 등을 쓰다듬다.
아이의 움직임을 나타냄.

✏️ 빈칸에 알맞은 낱말을 [보기]에서 찾아 써 보세요.

보기

마음먹다   무리하다   쓰다듬다   자랑하다   토닥이다

① 강아지의 부드러운 털을 쓰다듬다.
손으로 살살 쓸어 어루만지다.

② 몸도 안 좋은데 일을 계속하며 무리하다.
정도에서 지나치게 벗어나다.

③ 아기가 우유를 소화시킬 수 있게 등을 토닥이다.
가볍게 두드리는 소리를 내다.

도움말 ▼ '마음먹다'와 비슷한 뜻을 가진 낱말에는 '결심하다'가 있어요.

④ 새해에는 부모님의 말씀을 잘 듣기로 마음먹다.
무엇을 하겠다는 생각을 하다.

⑤ 삼촌께 장난감을 선물로 받았다고 친구들에게 자랑하다.
남에게 뽐내다.

69

13일
월
일

5 형태는 같은데 뜻이 다른 말 타다

'그네를 타다.'와 '얼굴이 타다.'에서 '타다.'는 형태는 같지만 전혀 다른 낱말이에요. '돈을 타다.'의 '타다' 역시 이와 다른 낱말이라고 할 수 있어요.

그네를 **타다.**	얼굴이 **타다.**	용돈을 **타다.**
탈것에 몸을 얹다.	열을 받아 지나치게 익다.	돈이나 물건을 받다.

도움말 ▼ 이 밖에도 '타다'는 여러 가지의 뜻이 있어요.

✏️ 밑줄 친 낱말에 알맞은 뜻을 찾아 연결하세요.

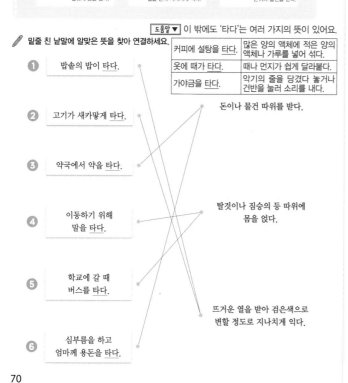

커피에 설탕을 <u>타다.</u>	많은 양의 액체에 적은 양의 액체나 가루를 넣어 섞다.
옷에 때가 <u>타다.</u>	때나 먼지가 쉽게 달라붙다.
가야금을 <u>타다.</u>	악기의 줄을 당겼다 놓거나 건반을 눌러 소리를 내다.

❶ 밥솥의 밥이 타다.

❷ 고기가 새카맣게 타다.

❸ 약국에서 약을 타다.

❹ 이동하기 위해 말을 타다.

❺ 학교에 갈 때 버스를 타다.

❻ 심부름을 하고 엄마께 용돈을 타다.

- 돈이나 물건 따위를 받다.
- 탈것이나 짐승의 등 따위에 몸을 얹다.
- 뜨거운 열을 받아 검은색으로 변할 정도로 지나치게 익다.

70

---

6 바꿔 쓸 수 있는 말 초대하다

'초대하다'는 '어떤 모임에 참가해 줄 것을 청하다.'라는 뜻으로 '초청하다'와 비슷한 뜻을 가진 낱말이에요. 비슷한 뜻을 가진 낱말끼리는 서로 바꿔 쓰기도 해요.

생일잔치에 친구들을 [**초대하다** / 초청하다].
바꿔 쓸 수 있음.

✏️ 밑줄 친 낱말과 바꿔 쓸 수 있는 낱말을 찾아 연결하세요.

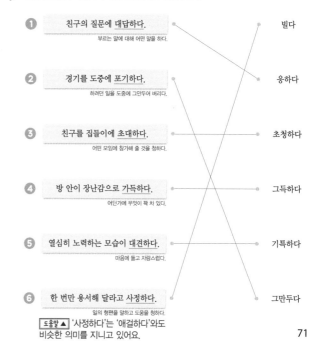

❶ 친구의 질문에 대답하다.
부르는 말에 대해 어떤 말을 하다.

❷ 경기를 도중에 포기하다.
하려던 일을 도중에 그만두어 버리다.

❸ 친구를 집들이에 초대하다.
어떤 모임에 참가해 줄 것을 청하다.

❹ 방 안이 장난감으로 가득하다.
어딘가에 무엇이 꽉 차 있다.

❺ 열심히 노력하는 모습이 대견하다.
마음에 들고 자랑스럽다.

❻ 한 번만 용서해 달라고 사정하다.
일의 형편을 말하고 도움을 청하다.

- 빌다
- 응하다
- 초청하다
- 그득하다
- 기특하다
- 그만두다

도움말 ▲ '사정하다'는 '애걸하다'와도 비슷한 의미를 지니고 있어요.

71

---

7 단위를 나타내는 말 채

'한 개', '두 개'와 같이 '개'는 따로따로인 물건을 세는 단위로 쓰여요. 그런데 집과 같은 물건은 '개'를 쓰지 않고 '채'를 써서 그 수를 나타내요.

사탕 한 **개**	집 한 **채**
따로따로인 물건을 세는 단위	집을 세는 단위

✏️ 빈칸에 알맞은 낱말을 [보기]에서 찾아 써 보세요.

보기

냥	채	평	마리	마지기

❶ 그 마을에는 십이 혈두 | 채 | 뿜이다.
집을 세는 단위

도움말 ▼ '엽전'은 '예전에 사용하던 놋쇠로 만든 돈'이에요.

❷ 그 물건의 가격은 엽전 열 | 냥 | 이었다.
돈을 세는 단위

❸ 저녁 식사를 하기 위해 조기 한 | 마리 | 를 구웠다.
짐승이나 물고기, 벌레 따위를 세는 단위

❹ 할머니는 올해도 백 | 마지기 | 가 넘게 농사를 지었다.
논밭 넓이의 단위

❺ 도시와 가까운 곳에 집을 짓기 위해 땅 오십 | 평 | 을 샀다.
땅의 넓이를 나타내는 단위

72

---

8 띄어쓰기 만큼

'만큼', '대로', '뿐'은 '-는, -을, -던' 등의 말 뒤에서는 띄어 쓰고, 이름을 나타내는 낱말이나 수를 나타내는 낱말 뒤에서는 붙여 써야 해요.

먹을 **만큼** 담아라.	그 친구는 너**만큼** 착하다.

✏️ 다음 일기에서 밑줄 친 부분의 띄어쓰기가 알맞은 것을 찾아 ○표 하고, 바르게 써 보세요.

20○○년 ○월 ○일
　학교에서 박물관으로 체험 학습을 갔다. 선생님께서는 ①(원하는대로 / <u>원하는 대로</u>) 친구들과 짝지어 관람을 해도 좋다고 하셨다. 전시된 물건들을 ②(볼만큼 / <u>볼 만큼</u>) 다 보고 우리는 다시 박물관 앞에 모였다. 선생님께서는 오늘 보고 ③(느낀대로 / <u>느낀 대로</u>) 감상문을 써 내라고 하셨다. 자세히 기억에 남는 건 ④(<u>둘뿐</u> / 둘 뿐)이라서 걱정이 되었다. 사진이라도 찍어둘 걸…. 잘 기억이 나지 ⑤(않을뿐이지 / <u>않을 뿐이지</u>) 참 뜻깊은 시간이었다.

❶ | 원 | 하 | 는 | | 대 | 로 |

❷ | 볼 | | 만 | 큼 |

❸ | 느 | 낀 | | 대 | 로 |

❹ | 둘 | | 뿐 |

❺ | 않 | 을 | | 뿐 | 이 | 지 |

73

9 외래어 표기 마라톤

42,195km를 달리는 경주를 뜻하는 말인 '마라톤'은 다른 나라 말을 빌려 와서 우리말처럼 쓰는 말인 외래어예요. 외래어는 국어에서 정한 표기가 있으므로 올바른 표현을 익혀 두어야 해요.

내 꿈은 마라톤 선수이다.
말아톤(×)

✏️ 빈칸에 알맞은 낱말을 찾아 ○표 하고, 바르게 써 보세요.

❶ [오렌지] 가 참 달고 맛있다. ⇨ (오렌지) 오렌쥐

❷ 청팀, 이겨라! 청팀 [파이팅] ! ⇨ (파이팅) 화이팅

도움말▲ '파이팅'은 '운동 경기에서, 선수들끼리 잘 싸우자는 뜻으로 외치는 소리'예요.

❸ [마라톤] 대회에서 상을 받았다. ⇨ 말아톤 (마라톤)

❹ 아빠는 [파일] 을 정리하고 계신다. ⇨ (파일) 화일

도움말▲ 'fighting'이나 'file'의 'f'를 우리말로 옮길 때에는 'ㅍ'으로 적는다는 점에 주의해야 해요.

❺ [초콜릿] 을 먹으니 기분이 좋아졌다. ⇨ 초코렛 (초콜릿)

❻ 체육 시간에 백 [미터] 달리기를 했다. ⇨ 미타 (미터)

74

10 낱말 퀴즈

✏️ 밑줄 친 부분의 글자 순서를 바르게 고쳐 써 보세요.

❶ 기고지가 창고를 지키고 있다. ⇨ [고지기]
관아의 창고를 보살피고 지키던 사람

❷ 시골에는 막두오이 많이 있다. ⇨ [오두막]
사람이 겨우 들어가 살 정도로 작게 지은 집

❸ 갑자기 현증기를 느껴 한참을 앉아 있었다. ⇨ [현기증]
어지러운 기운이 나는 증세

도움말▼ '장독대'는 '장독을 놓을 수 있게 바닥보다 좀 높게 만들어 놓은 곳'을 뜻하는 말이에요.

❹ 할머니네 장독대에는 아항리가 많이 있다. ⇨ [항아리]
아래위가 좁고 배가 부른 질그릇

도움말▼ '징검다리'는 중간에서 둘 사이의 관계를 연결해 주는 것을 비유적으로 나타내는 뜻으로도 쓰여요.

❺ 소녀가 리징다검에 앉아 개울을 들여다보고 있다. ⇨ [징검다리]
물이 깊지 않은 곳에 돌이나 흙더미를 드문드문 놓아 만든 다리

❻ 선수가 점결승을 통과하자 사람들의 박수가 쏟아졌다. ⇨ [결승점]
육상, 수영 따위에서 승부가 결정되는 지점

75

11 타교과 어휘 사회

✏️ 빈칸에 알맞은 낱말을 써서 문장을 완성해 보세요.

❶ 이 식물은 우리나라 전 지역에 [분포] 되어 있다.
무엇이 여러 곳에 흩어져 퍼져 있음.

❷ 우리의 전통문화를 잘 [보존] 하여 자손들에게 물려주어야 한다.
잘 보호하고 간수하여 남김.

❸ 우리는 [유물] 을 통해 그 시대 사람들의 생활 방식을 알 수 있다.
앞선 시대에 살았던 사람들이 남긴 물건

❹ 한글은 우리의 자랑스러운 [문화유산] 으로 가치가 매우 높다.
앞의 세대에게서 물려받은 가치 있는 문화적 재산

도움말▼ '경관'은 '경치'와 바꿔 쓸 수 있어요.

❺ 우리는 산에 올라 아름다운 주변의 [경관] 을 바라보며 도시락을 먹었다.
산, 들, 바다 따위의 자연이나 지역의 전체적인 모습

❻ 나는 우리 지역에서 소개하고 싶은 장소를 [백지도] 에 표시해 보았다.
여러 정보를 적어 넣기 위한 기본 지도

76

✏️ 빈칸에 알맞은 말을 [보기]에서 찾아 써 보세요.

보기
면담   보급   업적   인재   일생   무형 문화재

❶ 그 학교에는 우수한 [인재] 가 많이 있다.
사회적으로 쓸모가 있는 훌륭한 사람

❷ 장영실은 [일생] 동안 다양한 발명품을 만들었다.
세상에 태어나서 죽을 때까지의 시간

도움말▼ '건축물, 그림, 조각, 책 등과 같이 구체적인 모습이나 모양이 있는 문화재'는 '유형 문화재'예요.

❸ 평생을 판소리에 바친 그는 [무형 문화재] 로 지정되었다.
예술 활동이나 기술처럼 형태가 없는 문화유산

❹ 세종 대왕은 역사에 길이 남을 많은 [업적] 들을 남겼다.
어떤 사업이나 연구 따위에서 이룩 놓은 결과

❺ 장영실은 여러 발명품을 [보급] 하여 백성들이 편하게 살도록 했다.
널리 펴서 많은 사람들에게 골고루 미치게 하여 누리게 함.

❻ 우리는 지역에 관한 자세한 정보를 얻기 위해 지역 주민과 [면담] 을 했다.
서로 만나서 이야기함.

77

6 장 회의를 해요

📖 국어 교과서 174~193쪽

1 주제별 어휘 회의

'회의'란 여럿이 모여 의논하는 일을 말해요. 회의를 잘 진행하기 위해서는 일정한 절차에 따라 회의를 해야 해요.

🖊 다음은 회의의 절차를 설명한 것입니다. 알맞은 말을 [보기]에서 찾아 써 보세요.

보기

| 개회 | 폐회 | 표결 | 결과 발표 | 주제 선정 | 주제 토의 |

1 회의의 시작을 알립니다. ⇨ 개회

2 회의 주제를 정합니다. ⇨ 주제 선정

3 선정된 주제에 맞는 의견을 제시합니다. ⇨ 주제 토의

도움말▼ '다수결'은 '많은 사람의 의견에 따라 결정을 내리는 일'을 뜻하는 말이에요.

4 찬성과 반대 의견을 헤아려 다수결로 결정합니다. ⇨ 표결

5 결정한 의견을 발표합니다. ⇨ 결과 발표

6 회의의 마침을 알립니다. ⇨ 폐회

2 바꿔 쓸 수 있는 말 역할

'역할'과 '구실'은 '마땅히 해야 할 일'을 가리키는 말이에요. 두 낱말은 의미가 비슷해 상황에 따라 서로 바꿔 쓰기도 해요.

그는 반장 **[역할 / 구실]**을 잘하고 있다.
바꿔 쓸 수 있음.

도움말▲ '역할'은 '임무', '소임', '할 일'과도 바꿔 쓸 수 있어요.

🖊 밑줄 친 낱말과 바꿔 쓸 수 있는 낱말을 [보기]에서 찾아 써 보세요.

보기

| 구실 | 동의 | 발의 | 선택 | 관리자 |

1 저도 혁수의 의견에 찬성합니다. ⇨ 동의
다른 사람의 의견이나 생각 등이 좋다고 인정해 뜻을 같이함.

2 우리는 각자 제 역할을 해야 한다. ⇨ 구실
마땅히 해야 할 일

3 이번 회의에서 그의 의견이 채택되었다. ⇨ 선택
작품, 의견 따위를 골라서 다루거나 뽑아 씀.

4 안전 지킴이 활동으로 사고를 예방할 수 있다. ⇨ 관리자
관리하는 사람

5 민수는 학교에 건의함을 설치하자고 제안하였다. ⇨ 발의
안이나 의견으로 내놓음.

3 뜻이 반대인 말 독주/합주

'독주'는 '한 사람이 악기를 연주하는 것'을 의미하고 '합주'는 '두 가지 이상의 악기로 동시에 연주하는 것'을 의미해요.

피아노의 **독주**　　　피아노와 바이올린의 **합주**

🖊 밑줄 친 낱말과 뜻이 반대인 낱말을 [보기]에서 찾아 써 보세요.

보기

| 가해 | 거절 | 독주 | 불참 | 자유화 |

1 그 모임에는 참석이 어렵다. ⇨ 불참
모임이나 회의 따위의 자리에 참여함.
어떤 자리에 참여하지 않음.

2 위험한 행동은 강력히 규제해야 한다. ⇨ 자유화
규칙·법 등을 벗어나지 못하게 함.
제한 없이 자유롭게 됨.

도움말▼ '허락'과 비슷한 뜻을 가진 낱말에는 '승낙', '승인'이 있어요.

3 친구 집에서 놀아도 된다는 허락을 받았다. ⇨ 거절
요청을 들어줌.
상대편의 부탁을 받아들이지 않고 물리침.

4 음악 시간에 다양한 리듬 악기로 합주를 했다. ⇨ 독주
두 가지 이상의 악기로 동시에 연주하는 것
한 사람이 악기를 연주하는 것

5 도서관에서 떠드는 것은 옆 사람에게 피해를 준다. ⇨ 가해
재산, 신체, 명에 따위에 손해를 입음.
해를 끼침.

4 헷갈리기 쉬운 말 다치다/닫치다/닫히다

'다치다, 닫치다, 닫히다'는 비슷해 보이지만 각각 다른 뜻을 가지고 있어요.

손을 **다치다.**
신체에 상처가 생기다.

문을 **닫치다.**
세게 닫다.

문이 **닫히다.**
닫아지다.

도움말▲ '닫치다'와 발음이 같은 '닫치다'는 '어떤 물체가 다른 물체에 세차게 닿다.'라는 뜻이에요.

🖊 다음 문장에 어울리는 낱말을 찾아 ○표 하세요.

1 화가 나서 현관문을 (다치다 / (닫치다) / 닫히다).

2 물건을 들다가 허리를 ((다치다) / 닫치다 / 닫히다).

3 열어 놓은 창문이 바람에 (다치다 / 닫치다 / (닫히다)).

4 축구를 하다가 다리를 ((다쳐) / 닫쳐 / 닫혀) 병원에 갔다.

5 서준이가 교실 문을 탁 (다치고 / (닫치고) / 닫히고) 나갔다.

6 뚜껑이 너무 꼭 (다쳐서 / 닫쳐서 / (닫혀서)) 열리지 않는다.

5 뜻이 여러 가지인 말 1 말씀

'말씀'은 남의 말을 높여 이르는 말이기도 하고, 자기의 말을 낮추어 이르는 말이기도 해요.

> **아버지의 말씀을 듣다.**
> '남의 말을 높임.'

> **아버지께 말씀을 드리다.**
> '자기의 말을 낮춤.'

✏️ 밑줄 친 낱말이 '높여 이르는 말'인지 '낮추어 이르는 말'인지 써 보세요.

❶ 어머니의 말씀을 잘 듣겠습니다. ⇨ 높임

❷ 할머니의 말씀을 듣고 싶습니다. ⇨ 높임

❸ 아버지, 제가 드릴 말씀이 있습니다. ⇨ 낮춤

❹ 제가 할아버지께 말씀을 올리겠습니다. ⇨ 낮춤

❺ 그 일에 대해 제가 말씀을 드리겠습니다. ⇨ 낮춤

❻ 그분의 말씀대로 하는 것이 좋겠습니다. ⇨ 높임

❼ 선생님의 말씀대로 내일까지 숙제를 해 오겠습니다. ⇨ 높임

84

6 뜻이 여러 가지인 말 2 얻다

'얻다'는 '거저 주는 것을 받아 가지다.'라는 기본적인 뜻 외에도 여러 가지 뜻을 가지고 있어요.

> **연필을 얻다.**
> 거저 주는 것을 받아 가지다.

> **기쁨을 얻다.**
> 태도·반응·상태를 가지다.

> **일자리를 얻다.**
> 구하거나 찾아서 가지다.

✏️ 밑줄 친 낱말에 알맞은 뜻을 찾아 연결하세요.

❶ 일에서 보람을 얻다. — 구하거나 찾아서 가지다.

❷ 책에서 정보를 얻다. — 거저 주는 것을 받아 가지다.

❸ 이웃집에서 의자를 얻다. — 긍정적인 태도·반응·상태 따위를 가지다.

❹ 길을 잃은 아이가 가족을 찾다. — 어떤 사람이나 장소를 보기 위해 옮겨 가다.

❺ 주말에 가족과 함께 바다를 찾다. — 잃거나 맡겨 둔 것을 돌려받아 가지게 되다.

❻ 분실물 보관소에서 잃어버린 가방을 찾다. — 발견하거나 알아내려고 뒤지거나 살피다.

> **도움말 ▲** '분실물'은 '자기도 모르는 사이에 잃어버린 물건'을 뜻하는 말이에요.

85

7 합쳐진 말 가족회의

'가족'과 '회의'가 합쳐져서 '가족끼리 하는 회의'를 뜻하는 '가족회의'라는 하나의 낱말이 생겨났어요.

가족 + 회의 → 가족회의
두 낱말이 만나   하나의 낱말이 됨.

✏️ 낱말 카드를 왼쪽에서 하나, 오른쪽에서 하나씩 꺼내어 주어진 뜻에 알맞은 말을 써 보세요.

학교 | 가족 | 안전
점심 | 자연

사고 | 생활 | 시간
재해 | 회의

❶ 가족끼리 하는 회의 ⇨ 가족회의
> **도움말 ▲** '가족회의'는 한 낱말이지만 '학급 회의'는 한 낱말이 아니므로 '학급 회의'처럼 띄어 써야 해요.

❷ 학교에서 하는 생활 ⇨ 학교생활

❸ 점심을 먹기 위해 정해 놓은 시간 ⇨ 점심시간

> **도움말 ▼** '천재지변'은 '자연재해'와 비슷한 뜻을 가진 말이에요.
❹ 자연 현상 때문에 일어나는 손해 ⇨ 자연재해

❺ 주의를 기울이지 않아 일어나는 사고 ⇨ 안전사고

86

8 낱말 퀴즈

✏️ 빈칸에 알맞은 낱말을 주어진 글자 카드로 만들어 써 보세요.

관 | 극 | 사 | 시 | 심 | 적 | 제

> **도움말 ▼** '관심사'는 '관심거리'와 같은 뜻을 가진 낱말이에요.
❶ 우리는 공동의 관심사 를 회의 주제로 정했다.
관심을 끄는 일

❷ 이 문제에 대한 해결책을 제시 해 주시길 바랍니다.
어떠한 생각을 말이나 글로 나타내어 보임.

❸ 회의를 할 때에는 모두가 적극적 으로 참여해야 한다.
대상에 대한 태도가 능동적이고 활발한 (것)

결 | 다 | 록 | 수 | 의 | 행 | 회

❹ 우리는 다수결 의 원칙에 따라 규칙을 정했다.
회의에서 많은 사람의 의견에 따라 정하는 일

❺ 지난 학급 회의 때 결정한 내용은 회의록 에 기록되어 있다.
회의의 진행 과정이나 내용, 결과 따위를 적은 기록

❻ 계획을 짜는 것도 중요하지만 수행 하는 것이 더 중요하다.
생각하거나 계획한 대로 일을 해냄.

87

9 띄어쓰기 이번 주, 지난주

때를 나타내는 말인 '이번'과 '다음'은 '이번 주', '다음 해'와 같이 뒤에 오는 말과 띄어 써야 해요. 그러나 '지난주, 지난달, 지난해'는 한 낱말이므로 붙여 써야 하지요.

이번 주에 소풍을 간다.	지난주에 소풍을 갔다.
두 개의 낱말	하나의 낱말

✏️ 다음 문장에 알맞은 말을 찾아 ○표 하세요.

① 우리 (이번주 / (이번 주))에 등산 갈까?

② 학교에서 (다음주 / (다음 주))에 체험 학습을 간다.

③ 우리 누나는 (다음해 / (다음 해))에 대학생이 된다.

[도움말 ▼] '지난달의 바로 전달'은 '지지난달'이에요.
④ 할아버지께서 ((지난달) / 지난 달)에 퇴원을 하셨다.

⑤ 아파트 공사가 (이번달 / (이번 달)) 초에 시작되었다.

[도움말 ▼] '지지난주'는 한 낱말이 아니므로, '지지난 주'와 같이 띄어 써요.
⑥ ((지난주) / 지난 주)에 미국에 사는 사촌이 한국에 왔다.

[도움말 ▼] '지난해의 바로 전 해'는 '지지난해'이에요. 이는 '재작년'과 같은 말이지요.
⑦ ((지난해) / 지난 해) 여름 방학 때 해수욕장에 놀러 갔다.

88

10 올바른 발음 좋아요[조아요]

흔히 글자의 받침소리는 뒤에 모음이 올 경우 그대로 옮겨져 발음되지만, '좋아요'와 같은 경우의 'ㅎ' 받침은 소리가 나지 않아요.

모음이 오면	옮겨져 발음됨		모음이 오면	
먹을 것 → [머글] 것			좋아요 → [조아요]	
받침 'ㄱ' 뒤에			받침 'ㅎ' 뒤에	'ㅎ'이 사라짐.

18일
월
일

✏️ 밑줄 친 낱말의 알맞은 발음을 찾아 ○표 하세요.

① 짐이 많아서 무겁다. ⇨ (마나서) [만하서]

② 체육관 뒤편에 숨을 것이다. ⇨ (수믈) [수을]

③ 교과서를 책상 위에 올려놓아라. ⇨ (올려노아라) [올려노하라]

④ 나는 저녁에 치킨을 먹을 것이다. ⇨ [머을] (머글)

[도움말 ▼] '까치발'은 '발뒤꿈치를 든 상태'를 뜻하는 말이에요.
⑤ 까치발을 하니 선반에 손이 닿았다. ⇨ (다아따) [닿앋따]

⑥ 나는 채소를 싫어해서 잘 안 먹는다. ⇨ (시러해서) [실허해서]

89

11 (타교과 어휘) 과학

✏️ 빈칸에 알맞은 낱말을 써서 문장을 완성해 보세요.

① 처음에는 [떡][잎]이 나오더니 이내 콩의 모습이 나타났다.
씨앗에서 싹이 트면서 최초로 나오는 잎

② 한 개의 [꼬][투][리] 속에는 완두콩 다섯 알이 줄줄이 들어 있다.
콩과 식물의 씨앗을 싸고 있는 껍질

③ 오랫동안 비가 내리지 않아 봄에 뿌린 [볍][씨]가 제대로 자라지 못하고 있나.
벼의 씨

④ 어제 산에서 본 들꽃에 대해 알아보려고 [식][물][도][감]을 찾아보았다.
식물의 모양, 생태 등의 자료를 모아 정리한 책

⑤ 강낭콩은 [한][해][살][이] 식물로 그해 봄에 나서 그해 말이면 죽는다.
봄에 싹이 터서 그해 가을에 열매를 맺고 죽는 식물

[도움말 ▼] 봄에 싹이 터서 그해 가을에 열매를 맺고 죽는 식물은 '한해살이'에요.
⑥ 사과나무는 [여][러][해][살][이] 식물로 여러 해 동안 죽지 않고 살아간다.
2년 이상 사는 식물

90

[도움말 ▼] '새순'은 '새싹'과 비슷한 낱말이에요.
⑦ 봄이 오자 나뭇가지에 푸른 [새][순]이 돋는다.
새로 돋아나는 연한 싹

18일
월
일

⑧ 이 포도는 새로운 [품][종]으로 맛이 매우 좋다.
같은 종의 생물을 그 특성에 따라 나눈 종류

⑨ 운동선수들은 몸무게에 따라 [체][급]을 나누어 경기에 나간다.
권투, 레슬링, 유도 따위에서 선수의 몸무게에 따라 매겨진 등급

⑩ 앞으로는 우주와 관련된 다양한 상품이 나올 것으로 [전][망]된다.
앞날을 헤아려 내다봄.

⑪ 우주에는 [중][력]이 없어 물체를 들어도 무게가 느껴지지 않는다.
지구 위의 물체가 지구로부터 받는 힘

⑫ 농사를 지을 때에는 지역의 기후에 알맞은 [종][자]를 선택하여 심어야 한다.
식물에서 나온 씨 또는 씨앗

91

7장 사전은 내 친구

국어 교과서 194~223쪽

1 자주 쓰는 말 선을 긋다

'선을 긋다'라는 말은 '선을 그리다.'라는 말로 이해할 수 있어요. 그런데 이와 같은 말은 원래의 뜻 외에도 '허락하여 받아들이는 범위를 정하다.'라는 새로운 뜻으로 쓰이기도 해요.

관계에 선을 긋다.
허락하여 받아들이는 범위를 정하다.

빈칸에 알맞은 말을 [보기]에서 찾아 써 보세요.

보기
선을 긋다   바람을 쐬다   숨을 거두다   자리를 잡다   정신이 없다

❶ 오랜 투병 끝에 숨을 거두다 .
'죽다'를 다르게 이르는 말

❷ 공부를 하다가 잠시 바람을 쐬다 .
기분 전환을 위하여 바깥이나 딴 곳을 거닐다.

❸ 교내 체육 대회 준비로 정신이 없다 .
매우 바쁘다. 도움말▲ '정신이 없다'는 '사리를 분별하지 못하다.'라는 뜻으로도 쓰여요.

❹ 오랜 노력 끝에 음악 분야에서 자리를 잡다 .
일정한 지위나 공간을 차지하다.

❺ 시험지의 답을 보여 달라는 친구의 말에 선을 긋다 .
허락하여 받아들이는 범위를 정하다.

94

2 꾸며 주는 말 흠씬

'흠씬'은 '아주 꽉 차고도 남을 만큼 넉넉하게'라는 뜻으로 다른 말을 꾸며 주어요.

좋은 냄새가 **흠씬** 풍기다.
꾸며 줌.

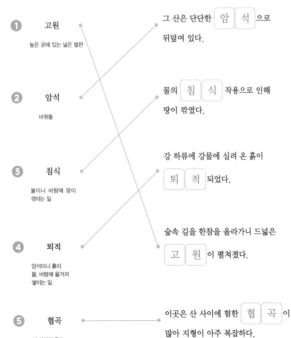

빈칸에 알맞은 낱말을 [보기]에서 찾아 써 보세요.

보기
마치   온갖   자꾸   흔히   흠씬   엄연히

❶ 산에 올라 맑은 공기를 흠씬 마셨다.
도움말▲ '흠씬'은 아주 꽉 차고도 남을 만큼 넉넉하게
'물에 푹 젖은 모양'을 나타낼 때에도 쓰여요. 예 옷이 물에 흠씬 젖었다.

❷ 독감기가 들어서 자꾸 기침이 나온다.
여러 번 반복하거나 끊임없이 계속하여

❸ 온갖 정성을 기울여 음식을 만들었다.
이런저런 여러 가지의

❹ 그런 옷은 길거리에서 흔히 볼 수 있다.
보통보다 더 자주 일어나서 쉽게 접할 수 있게

❺ 우리 엄마는 마치 꾀꼬리처럼 목소리가 곱다.
거의 비슷하게

❻ 나와 내 동생은 닮지는 않았지만 엄연히 친형제이다.
어떤 사실이나 현상이 매우 뚜렷하게

95

3 주제별 어휘 1 자연과 현상

사람의 힘이 더해지지 아니하고 저절로 생겨난 환경을 가리켜 '자연'이라고 해요. 자연에는 사람의 의지와는 상관없이 여러 현상들이 일어나고 있어요.

다음 낱말이 들어가기에 알맞은 문장을 찾아 연결하고, 바르게 써 보세요.

❶ 고원
높은 곳에 있는 넓은 벌판

그 산은 단단한 암 석 으로 뒤덮여 있다.

❷ 암석
바윗돌

물의 침 식 작용으로 인해 땅이 깎였다.

❸ 침식
물이나 바람에 땅이 깎이는 일

강 하류에 강물에 실려 온 흙이 퇴 적 되었다.

❹ 퇴적
암석이나 흙이 물, 바람에 옮겨져 쌓이는 일

숲속 길을 한참을 올라가니 드넓은 고 원 이 펼쳐졌다.

❺ 협곡
산 사이의 좁고 험한 골짜기

이곳은 산 사이에 험한 협 곡 이 많아 지형이 아주 복잡하다.
도움말▲ '지형'은 '땅의 생긴 모양'을 이르는 말이에요.

96

4 주제별 어휘 2 우주

'우주'는 무한한 시간과 세상에 있는 모든 것을 포함하고 있는 끝없는 공간을 이르는 말이에요. 사람들은 오랫동안 신비한 우주를 탐구하기 위해 노력해 왔어요.

빈칸에 알맞은 낱말을 [보기]에서 찾아 써 보세요.

보기
관측   궤도   천체   화성   외계인   탐사선

❶ 망원경으로 천체 를 관찰하였다.
우주에 있는 모든 물체

❷ 화성 은 지구 다음으로 태양과 가까운 행성이다.
태양에서 넷째로 가까운 행성

❸ 별의 움직임에 대한 관측 보고서를 작성하였다.
자연 현상 특히 우주의 물체 따위를 관찰하여 측정하는 일

도움말▼ '알려지지 않은 것은 조사하는 일'을 가리켜 '탐사'라고 해요.

❹ 저녁 뉴스에서 탐사선 이 찍은 달의 모습을 보았다.
지구나 다른 행성들을 조사하기 위해 우주에 쏘아 올린 비행 물체

도움말▼ '외계인'과 같은 뜻을 가진 말로 '우주인'이 있어요.

❺ 그 영화에는 비행접시를 타고 온 외계인 이 나와다.
지구 이외의 곳에 존재한다고 생각되는 인간과 비슷한 생명체

❻ 지구의 궤도 위로 인공위성을 성공적으로 쏘아 올렸다.
행성, 인공위성 따위가 다른 물체의 둘레를 돌면서 그리는 곡선의 길

97

19일
월
일

5 주제별 어휘 3 기술

'기술'은 과학 이론을 실제로 적용하여 사물을 인간 생활에 쓸모가 있도록 만드는 방법이에요. 기술이 발달함에 따라 인간의 삶은 더욱 풍요롭고 윤택해졌어요.

밑줄 친 낱말에 알맞은 뜻을 찾아 연결하세요.

1 이것은 특수 제작된 장갑이다. ───── 특별히 다름.

2 그 로봇은 원격으로 조종할 수 있다. ───── 멀리 떨어져 있음.

도움말 ▼ '개발'과 헷갈리기 쉬운 '계발'은 '지능이나 재능, 사상 등을 일깨워 발전시킴.'이라는 뜻이에요.

3 그 회사는 신제품 개발에 힘을 쓰고 있다. ───── 시대나 유행의 맨 앞

4 이 핸드폰에는 최첨단 기술이 적용되었다. ───── 물품 따위가 일상적으로 쓰이게 됨.

5 과학의 발전은 우리 삶을 풍요롭게 해 주었다. ───── 더 낫고 좋은 상태나 더 높은 단계로 나아감.

6 신약의 상용화를 위한 실험이 성공적으로 끝났다. ───── 새로운 물건을 만들거나 새로운 생각을 내어놓음.

도움말 ▲ '신약'은 '새로 발명한 약' 이라는 뜻이에요.

98

6 바꿔 쓸 수 있는 말 변두리

'변두리'는 '어떤 지역의 가장자리가 되는 곳'이라는 뜻으로 '교외'와 비슷한 뜻을 가지고 있어요. 이와 같이 비슷한 뜻을 가진 낱말끼리는 서로 바꿔 쓸 수도 있어요.

[변두리 / 교외]로 나들이를 갔다.
바꿔쓸 수 있음.

밑줄 친 낱말과 바꿔 쓸 수 있는 낱말을 [보기]에서 찾아 써 보세요.

보기
경시   고유   공급   교외   행실   푸대접

도움말 ▼ 아주 잘하는 대접은 '후대'예요.
1 친구의 냉대에 속상했다.
정성을 들이지 않고 아무렇게나 하는 대접
⇨ 푸대접

2 바이올린은 특유의 음색이 좋다.
일정한 사물만이 특별히 갖추고 있음
⇨ 고유

3 무시를 당해서 기분이 나쁘다.
사람을 깔보거나 업신여김.
⇨ 경시

4 경수는 바른 몸가짐을 지녔다.
몸의 움직임, 또는 몸을 거두는 일
⇨ 행실

5 그는 서울 변두리 지역에 산다.
어떤 지역의 가장자리가 되는 곳
⇨ 교외

6 전쟁 중에는 식량 보급이 중요하다.
물건이나 돈 따위를 계속해서 대어 줌.
⇨ 공급

99

7 뜻이 반대인 말 유명/무명

'유명'은 '이름이 널리 알려져 있음.'을 뜻하는 말이에요. 반면에 '무명'은 '이름이 널리 알려지지 않음.'을 뜻하는 말이에요. 두 낱말은 서로 반대되는 뜻을 가지고 있어요.

그녀는 유명 가수이다. ⇄ 그녀는 무명 가수이다.
이름이 널리 알려져 있음.   이름이 널리 알려지지 않음.

밑줄 친 낱말과 뜻이 반대인 낱말을 찾아 연결하세요.

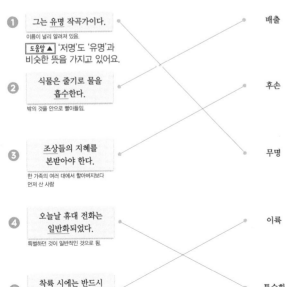

1 그는 유명 작곡가이다.
이름이 널리 알려져 있음.
도움말 ▲ '저명'도 '유명'과 비슷한 뜻을 가지고 있어요.

배출

2 식물은 줄기로 물을 흡수한다.
밖의 것을 안으로 빨아들임.

후손

3 조상들의 지혜를 본받아야 한다.
한 가족의 여러 대에서 할아버지보다 먼저 산 사람

무명

4 오늘날 휴대 전화는 일반화되었다.
특별하던 것이 일반적인 것으로 됨.

이륙

5 착륙 시에는 반드시 안전벨트를 매야 한다.
비행기가 공중에서 땅에 내림.

특수화

100

8 헷갈리기 쉬운 말 받치다/밭치다

'받치다'는 '물건의 밑이나 옆 따위에 다른 물체를 대다.'라는 의미이고, '밭치다'는 '구멍이 뚫린 물건 위에 국수나 야채 따위를 올려 물기를 빼다.'라는 의미예요.

공책에 책받침을 받치다.
받치다(×)

국수를 체에 밭치다.
받치다(×)

도움말 ▲ '머리나 뿔 따위로 부딪치다.'는 뜻을 가진 '받다'의 당하는 말은 '받히다'예요. '받치다', '밭치다'와 헷갈릴 수 있으니 익혀 두도록 해요.

주어진 뜻을 참고하여 문장에 어울리는 낱말을 찾아 ○표 하세요.

| 받치다 | 물건의 밑이나 옆 따위에 다른 물체를 대다. |
| 밭치다 | 구멍이 뚫린 물건 위에 국수나 야채 따위를 올려 물기를 빼다. |

1 쟁반에 커피를 (받치다 / 밭치다).

2 그릇을 조심조심 두 손으로 (받치다 / 밭치다).

3 삶은 국수를 찬물에 헹군 후 체에 (받치다 / 밭치다).

도움말 ▼ '대리다'는 '다리다'의 잘못된 표현이에요.

| 달이다 | 물을 부어 우러나도록 끓이다. |
| 다리다 | 옷의 구김을 펴기 위하여 다리미로 문지르다. |

4 한약을 (다리다 / 달이다).

5 다리미로 셔츠를 (다리다 / 달이다).

6 어린 찻잎으로 차를 (다리다 / 달이다).

101

9 뜻을 더하는 말 -지

'-지'는 '종이'의 뜻을 더하는 말이에요. '벽지'는 '벽에 바르는 종이'를 뜻해요.

✏️ 그림에 알맞은 낱말을 [보기]에서 찾아 써 보세요.

보기

| 벽지 | 색지 | 포장지 | 창호지 |

❶ 벽지

벽에 바르는 종이

❷ 색지

여러 색깔로 물들인 종이

도움말 ▲ '색지'는 '색종이'로도 쓸 수 있어요.

❸ 포장지

물건을 싸거나 꾸미는 데 쓰는 종이

❹ 창호지

주로 문을 바르는 데 쓰는 얇은 종이

102

---

10 띄어쓰기

'이해를 하다'가 '이해하다'로 되는 것처럼 낱말과 낱말이 만나 하나의 낱말이 될 때에는 붙여 써야 해요.

✏️ 다음 문장을 주어진 횟수에 따라 바르게 띄어 써 보세요.

❶ 가위를사용해서종이를잘라요. (3회)

가	위	를		사	용	해	서		종	이
를		잘	라	요	.					

❷ 매일매일운동하기가힘들어요. (2회)

매	일	매	일		운	동	하	기	가
힘	들	어	요	.					

❸ 이문제가드디어이해되었어요. (3회)

이		문	제	가		드	디	어		이
해	되	었	어	요	.					

❹ 물이모두스펀지에흡수되었어요. (3회)

물	이		모	두		스	펀	지	에
흡	수	되	었	어	요	.			

103

---

11 (타교과 어휘) 도덕

✏️ 빈칸에 알맞은 낱말을 써서 문장을 완성해 보세요.

❶ 가까운 친구일수록 서로 **존중** 해야 한다.

아주 귀중하게 여기는 것

❷ **공공장소** 에서는 큰 소리로 떠들면 안 된다.

여러 사람이 함께 이용하는 곳

도움말 ▼ '무정'은 '따뜻하고 정이 없이 쌀쌀맞고 인정이 없음.'이라는 뜻이에요.

❸ 진희는 항상 **다정** 하게 인사를 해 주어서 기분이 좋다.

정이 많고 마음이 따뜻함.

❹ 나와 영희는 둘 다 그림에 관심이 있어 서로 **소통** 이 잘된다.

뜻이나 생각이 서로 잘 통함.

❺ 새해 첫날 나와 내 동생은 할머니와 할아버지께 **세배** 를 드렸다.

설에 웃어른께 드리는 큰 절

❻ 선생님을 마주칠 때 인사를 하는 것은 **예절** 을 잘 지키는 것이다.

예의에 관한 모든 절차나 질서

104

✏️ 밑줄 친 낱말에 알맞은 뜻을 찾아 연결하세요.

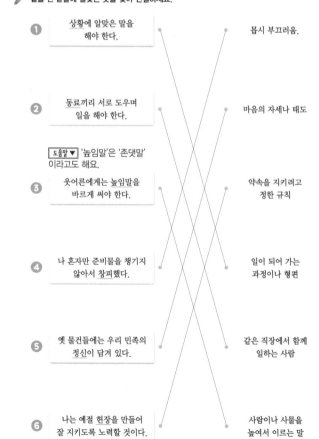

❶ 상황에 알맞은 말을 해야 한다.

❷ 동료끼리 서로 도우며 일을 해야 한다.

도움말 ▼ '높임말'은 '존댓말'이라고도 해요.

❸ 웃어른에게는 높임말을 바르게 써야 한다.

❹ 나 혼자만 준비물을 챙기지 않아서 창피했다.

❺ 옛 물건들에는 우리 민족의 정신이 담겨 있다.

❻ 나는 예절 헌장을 만들어 잘 지키도록 노력할 것이다.

• 몹시 부끄러움.

• 마음의 자세나 태도

• 약속을 지키려고 정한 규칙

• 일이 되어 가는 과정이나 형편

• 같은 직장에서 함께 일하는 사람

• 사람이나 사물을 높여서 이르는 말

105

8장 이런 제안 어때요

📖 국어 교과서 224~245쪽

1 주제별 어휘 1 제안

문제를 해결하기 위해 의견을 내놓는 것을 '제안'이라고 해요. 제안은 받아들이는 사람에 따라 표현 방법을 달리 해야 의견을 효과적으로 전달할 수 있어요.

🖊 빈칸에 알맞은 낱말을 써서 문장을 완성해 보세요.

❶ 그는 자신의 주장 만을 고집하였다.
자신의 의견을 굳게 내세우는 것 · 도움말▲ '고집하다'는 '자신의 의견을 바꾸거나 고치지 않고 굳게 버티다.'라는 뜻이에요.

❷ 경찰의 설득 으로 범인은 자수를 결심했다.
잘 타일러서 이해시켜 따르게 하는 것 · 도움말▲ '자수'는 '범인이 스스로 수사 기관에 자기의 죄를 알리고 처벌을 구하는 일'을 뜻해요.

❸ 함께 일을 해 보자는 제안 에 응하기로 했다.
문제를 해결하기 위해 의견을 내놓는 것

❹ 나는 선생님께 배가 아프다고 호소 를 하였다.
어렵거나 억울한 사정을 알려 도움을 청하는 것

❺ 이번 방학에 권장 도서를 열 권 읽는 것이 나의 목표이다.
어떠한 일을 하라고 권하고 북돋아 주는 것

❻ 나한테 어려운 부탁 이 들어왔는데 어떻게 해야 할지 모르겠다.
어떤 일을 해 달라고 하거나 맡김.

2 주제별 어휘 2 물

물은 바닷물 · 강물 · 지하수 · 빗물 등의 상태로 존재하며, 지구 표면의 4분의 3을 차지하고 있어요. 생물이 살아가는 데 있어 가장 중요한 것이 물이라고 할 수 있지요.

22일
월
일

🖊 빈칸에 알맞은 낱말을 [보기]에서 찾아 써 보세요.

보기
샘   식수   우물   정수   음료수

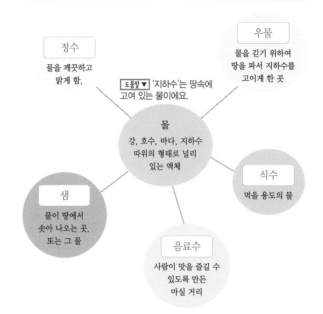

정수
물을 깨끗하고 맑게 함.

도움말▼ '지하수'는 땅속에 고여 있는 물이에요.

우물
물을 긷기 위하여 땅을 파서 지하수를 고이게 한 곳

물
강, 호수, 바다, 지하수 따위의 형태로 널리 있는 액체

식수
먹을 용도의 물

샘
물이 땅에서 솟아 나오는 곳. 또는 그 물

음료수
사람이 맛을 즐길 수 있도록 만든 마실 거리

3 뜻을 더하는 말 -인

'-인'은 낱말의 뒷부분에 붙어 '사람'이라는 뜻을 더해 주는 말이에요.

지식 + -인 → 지식인
지식을 갖춘 사람

종교 + -인 → 종교인
종교를 가진 사람

🖊 다음 밑줄 친 말을 하나의 낱말로 바꿔 써 보세요.

❶ 감옥에 갇힌 사람은 감시하는 사람을 볼 수 없다. ⇨ 감시인

❷ 이번 축제에는 음악을 즐기는 사람이 많이 참석했다. ⇨ 음악인

❸ 지식을 갖춘 사람이라면 마땅히 알고 있을 내용이다. ⇨ 지식인

❹ 한국 국적을 가진 사람은 예의를 중요하게 생각한다. ⇨ 한국인

도움말▼ '우주인'은 '지구 밖의 우주 공간에 있다고 생각되는 지능을 가진 생물'이라는 의미로도 쓰여요.

❺ 나는 우주 비행을 위해 훈련을 받은 사람이 되고 싶다. ⇨ 우주인

❻ 지구에 사는 사람 중 최초로 달에 간 사람은 암스트롱이다. ⇨ 지구인

4 쓰임을 바꾸는 말 -기

'-기'는 움직임을 나타내는 말에 붙어 그 말이 다른 기능을 하도록 바꿔 주는 말이에요.

잃어버린 물건을 찾다. → 물건 찾기에 실패하다.
쓰임이 바뀜.

22일
월
일

🖊 주어진 낱말을 빈칸에 알맞게 고쳐 써 보세요.

❶ 쓰다 ⇨ 일기를 매일 쓰기 가 쉽지 않다.

❷ 읽다 ⇨ 어두운 데서는 책을 읽기 가 힘들다.

❸ 달리다 ⇨ 슬리퍼를 신고 달리기 가 어렵다.

❹ 먹다 ⇨ 떡이 너무 커서 한입에 먹기 가 어렵다.

❺ 놀다 ⇨ 내 동생은 공부는 안 하고 놀기 만 한다.

❻ 보다 ⇨ 그 음식은 보기 에는 맛있어 보이지만 맛이 없다.

5 형태는 같은데 뜻이 다른 말 1 사고

'뜻밖에 일어난 불행한 일'을 나타내는 말도 '사고'라고 쓰지만 '생각하고 궁리함.'을 나타내는 말도 '사고'라고 써요.

✏️ 빈칸에 공통으로 들어갈 낱말을 써 보세요.

❶ 사 고
① 자동차 [ ] 가 많이 줄었다.
　　뜻밖에 일어난 불행한 일
② [ ] 능력은 성공과 관련이 깊다.
　　생각하고 궁리함.

❷ 눈
① 마당에 [ ] 이 많이 쌓였다.
　　공기 중의 수증기가 얼어서 떨어지는 얼음의 결정체
② [ ] 이 불편해서 자꾸 깜빡거렸다.
　　물체를 볼 수 있는 몸의 감각 기관

[도움말▲] '식물의 가지나 줄기에서 새로 돋아나는 꽃이나 잎 등의 싹'을 뜻하는 '눈'도 있어요.

❸ 다 리
① 많은 차들이 한강 [ ] 를 건너고 있었다.
　　건너다닐 수 있도록 만든 시설물
② 무리해서 운동을 했더니 [ ] 에 쥐가 났다.
　　사람이나 동물의 몸통 아랫부분

❹ 우 리
① [ ] 오늘 숙제를 같이 할까?
　　말하는 이가 자기와 자기편 사람들을 가리키는 말
② [ ] 에 있는 토끼에게 당근을 주었다.
　　짐승을 가두어 기르는 곳

112

6 형태는 같은데 뜻이 다른 말 2 자라다

'키가 자라다.'와 '천장에 손이 자라다.'에 쓰인 '자라다'는 우연히도 낱말의 형태가 같은 것일 뿐, 전혀 다른 뜻의 낱말이에요.

키가 자라다.
크기나 부피가 커지다.

천장에 손이 자라다.
뻗어서 미치거나 닿다.

✏️ 밑줄 친 낱말의 알맞은 뜻을 [보기]에서 찾아 기호를 써 보세요.

[보기]　[도움말▼] 사전에서는 형태는 같은 데 뜻이 다른 말들을 '자라다¹', '자라다²' 와 같이 분류해서 표시하고 있어요.

　㉠ **자라다¹** 생물체의 크기나 부피가 커지다.
　㉡ **자라다²** 일정한 지점을 향해 뻗어서 미치거나 닿다.

❶ 까치발을 해야 겨우 선반에 손이 <u>자란다</u>. ⇨ [㉡]

❷ 한 달도 되지 않아 머리카락이 길게 <u>자랐다</u>. ⇨ [㉠]

❸ 뜨거운 햇볕을 받은 벼들이 무럭무럭 <u>자란다</u>. ⇨ [㉠]
[도움말▲] '무럭무럭'은 '순조롭고 힘차게 잘 자라는 모양'을 흉내 내는 말이에요.

❹ 방학이 지나고 나니, 키가 2센티미터나 <u>자랐다</u>. ⇨ [㉠]

❺ 구석에 떨어진 동전을 잡으려 해도 팔이 <u>자라지</u> 않았다. ⇨ [㉡]

❻ 공중에 뜬 공을 잡으려다가 손이 <u>자라지</u> 않아 놓치고 말았다. ⇨ [㉡]

113

7 색깔을 나타내는 말 푸르다

우리말에는 색깔을 나타내는 말이 다양해요. 영어에서는 푸른빛을 띠는 색을 모두 'blue(블루)'로 표현하지만, 우리말에서는 '푸르다, 푸르스름하다, 푸르뎅뎅하다' 등과 같이 색을 세밀하게 구분하지요.

✏️ 비슷한 색깔을 나타내는 낱말끼리 나누어 써 보세요.

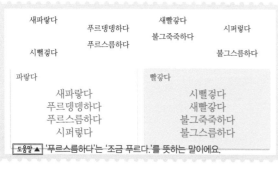

새파랗다　푸르뎅뎅하다　새빨갛다　시퍼렇다
시뻘겋다　푸르스름하다　불그죽죽하다　불그스름하다

파랗다	빨갛다
새파랗다	시뻘겋다
푸르뎅뎅하다	새빨갛다
푸르스름하다	불그죽죽하다
시퍼렇다	불그스름하다

[도움말▲] '푸르스름하다'는 '조금 푸르다.'를 뜻하는 말이에요.

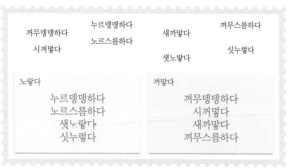

꺼무뎅뎅하다　누르뎅뎅하다　새까맣다　꺼무스름하다
시꺼멓다　노르스름하다　샛노랗다　싯누렇다

노랗다	까맣다
누르뎅뎅하다	꺼무뎅뎅하다
노르스름하다	시꺼멓다
샛노랗다	새까맣다
싯누렇다	꺼무스름하다

114

8 낱말 퀴즈

✏️ 빈칸에 알맞은 낱말을 주어진 글자 카드로 만들어 써 보세요.

`개　소　병　염　오　질`

❶ [오염] 이 된 물을 마시고 배가 아팠다.
　　더럽게 물듦.

❷ 작가 [소개] 를 보니 이 책에 대한 관심이 생겼다.
　　모르는 사실이나 내용을 잘 알게 해 주는 설명

❸ [질병] 을 예방하기 위해서는 손을 깨끗하게 씻어야 한다.
　　몸의 온갖 병

`검　골　관　목　색　습`

❹ 나는 일찍 일어나는 [습관] 을 가지고 있다.
　　어떤 행위를 오랫동안 되풀이하는 동안에 저절로 굳어진 버릇

[도움말▼] '골목'은 '골목길'로도 쓸 수 있어요.

❺ 우리 집 앞 [골목] 에서 아이들이 놀고 있다.
　　집들 사이로 나 있는 좁은 길

❻ 나는 모르는 내용은 인터넷으로 [검색] 을 한다.
　　책이나 컴퓨터에서 자료들을 찾아내는 일

115

9 헷갈리기 쉬운 말 흐트러지다/흩어지다

'흐트러지다'는 '여러 가닥으로 흩어져 이리저리 얽히다.'라는 의미이고, '흩어지다'는 '한데 모였던 것이 따로따로 떨어지거나 사방으로 퍼지다.'라는 의미예요.

머리카락이 **흐트러지다**.	사방으로 **흩어지다**.
흩어지다(×)	흐트러지다(×)

도움말▲ 그 밖에 헷갈리기 쉬운 말로, '매우 탐스럽게 한창 싱싱하게 우거져 있다.'라는 뜻의 '흐드러지다'가 있어요.

✏️ 주어진 뜻을 참고하여 문장에 어울리는 낱말을 찾아 ○표 하세요.

흐트러지다	여러 가닥으로 흩어져 이리저리 얽히다.
흩어지다	한데 모였던 것이 따로따로 떨어지거나 사방으로 퍼지다.

❶ 가족과 뿔뿔이 (**흩어지다** / 흐트러지다).

❷ 책상 위의 책들이 (흩어지다 / **흐트러지다**).

❸ 그들은 사방으로 (**흩어져** / 흐트러져) 범인을 찾기로 했다.

벌이다	일을 계획하여 시작하거나 펼쳐 놓다.
버리다	지니고 있을 필요가 없는 물건을 내던지거나 쏟거나 하다.

❹ 동네잔치를 (버리다 / **벌이다**).

❺ 쓰레기를 쓰레기통에 (**버리다** / 벌이다).

❻ 백화점에서 할인 판매 행사를 (버린다 / **벌인다**).

116

---

10 한자로 이루어진 말 과(過)-

'과(過)'는 '지나치다'라는 뜻의 한자예요. '과(過)'를 포함하고 있는 낱말들은 '초과하다'나 '넘치다'와 같이 한계를 넘어선다는 뜻을 가지고 있어요.

과식(過食): 지나치게 많이 먹음.
지나치다

✏️ 주어진 뜻에 알맞은 낱말을 [보기]에서 찾아 써 보세요.

보기
과대   과민   과속   과식   과열   과찬

❶ 지나치게 뜨거워짐. ⇨ 과열

도움말▼ '과대'와 뜻이 반대인 말로 '과소'가 쓰여요.
❷ 정도가 지나치게 큼. ⇨ 과대

❸ 지나치게 많이 먹음. ⇨ 과식

❹ 지나치게 칭찬함. 또는 그런 칭찬 ⇨ 과찬

❺ 감각이나 감정이 지나치게 예민함. ⇨ 과민

❻ 자동차 따위의 주행 속도를 너무 빠르게 함. ⇨ 과속

117

---

11 (타교과 어휘) 사회

✏️ 빈칸에 알맞은 낱말을 써서 문장을 완성해 보세요.

❶ 나는 학생증을 잃어버려서 다시 | 발 | 급 |을 받았다.
증명서 따위를 만들어 주는 것

❷ 정월 대보름에 잡곡밥을 먹는 것은 우리 민족의 | 풍 | 속 |이다.
옛날부터 그 사회에 전해 오는 생활 전반에 걸친 습관

❸ 추석에 우리 가족은 | 성 | 묘 |를 하러 할아버지의 산소를 찾았다.
조상의 산소를 찾아가서 돌봄.

❹ 명절에는 큰아버지 댁에서 온 가족이 모여 | 차 | 례 |를 지낸다.
설날이나 추석과 같은 명절에 조상에게 올리는 제사

도움말▼ '온돌'은 '방구들'로도 쓸 수 있어요.
❺ 우리 조상들은 | 온 | 돌 |을 방바닥에 깔아 겨울을 따뜻하게 보낼 수 있었다.
방바닥 아래에 넓은 돌을 여러 개 놓고 따뜻하게 데우는 난방 방법

❻ 주민들의 | 민 | 원 |을 신속하게 처리하기 위해 구청의 직원들이 노력하고 있다.
주민이 행정 기관에 하는 요구

118

도움말▼ '이전 거주지에서 새 거주지로 옮겨 감.'을 뜻하는 말은 '전출'이에요.
❼ 새로 이사를 해서 | 전 | 입 | 신고를 하러 동사무소에 갔다.
이전에 살던 곳에서 새로운 곳으로 옮겨 오는 것

❽ 그는 몇 가지 | 사 | 례 |를 들어 자신의 생각이 옳다고 주장했다.
어떤 일이 전에 실제로 일어난 예

❾ 쓰레기 처리장을 만들어도 좋다는 주민들의 | 승 | 낙 |을 얻었다.
청하는 바를 들어줌.

❿ 그 건물은 | 노 | 후 | 화 |되어 비가 오면 천장 곳곳에서 물이 샌다.
오래되거나 낡아서 쓸모가 없게 됨.

⓫ 도로가 차들로 | 혼 | 잡 | 할 때에는 지하철을 이용하는 것이 편리하다.
여럿이 한데 뒤섞이어 어수선함.

⓬ 우리 지역에는 | 공 | 영 | 도서관이 여러 군데 있어 책을 쉽게 빌려 볼 수 있다.
국가나 공동 단체에서 관리하고 운영하는 것

119

9장 자랑스러운 한글

🔖 국어 교과서 246~273쪽

1 주제별 어휘 1 한글

'한글'은 '우리나라 고유의 문자 이름'을 나타내는 말이에요. 세종 대왕은 글을 모르는 백성들을 위해 발음 기관과 우주의 형상을 본떠 소리글자인 한글을 만들었지요.

✏️ 주어진 낱말에 알맞은 뜻을 찾아 연결하세요.

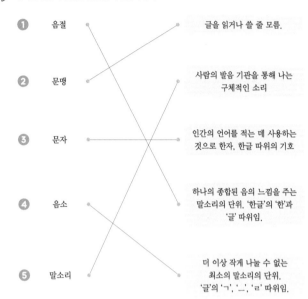

① 음절 — 하나의 종합된 음의 느낌을 주는 말소리의 단위. '한글'의 '한'과 '글' 따위임.

② 문맹 — 글을 읽거나 쓸 줄 모름.

③ 문자 — 인간의 언어를 적는 데 사용하는 것으로 한자, 한글 따위의 기호

④ 음소 — 더 이상 작게 나눌 수 없는 최소의 말소리의 단위. '글'의 'ㄱ', 'ㅡ', 'ㄹ' 따위임.

⑤ 말소리 — 사람의 발음 기관을 통해 나는 구체적인 소리

122

✏️ 주어진 글을 참고하여 빈칸에 들어갈 낱자를 [보기]에서 찾아 써 보세요.

한글 모음자는 하늘(•), 땅(ㅡ), 사람(ㅣ)을 본떠 만들었고, 한글 자음자는 발음 기관의 모양을 본떠 기본 문자를 만들었다. 기본 자음자에 획을 더하면 거센소릿자가 되고 기본 자음자를 겹쳐 쓰면 된소릿자가 된다.

25일
○ 월
○ 일

보기

ㄴ ㅇ ㄸ ㅉ ㅋ ㅊ ㅗ ㅣ

① 기본 자음자

ㄱ ㄴ ㅁ
ㅅ ㅇ

② 모음자

ㅏ ㅑ ㅓ ㅕ
ㅗ ㅛ ㅜ ㅠ
ㅡ ㅣ

③ 된소릿자

ㄲ ㄸ
ㅃ ㅆ ㅉ

④ 거센소릿자

ㅋ ㅌ
ㅍ ㅊ ㅎ

123

---

2 주제별 어휘 2 임금

'임금'은 '옛날에 나라를 다스리던 사람'을 가리키는 말이에요. 한 나라에서 가장 큰 힘을 가진 임금은 궁궐에 머물면서 다른 이들로부터 최고의 대우를 받았다고 해요.

✏️ 빈칸에 알맞은 낱말을 [보기]에서 찾아 써 보세요.

보기

과인 궁궐 신하 어의 전하

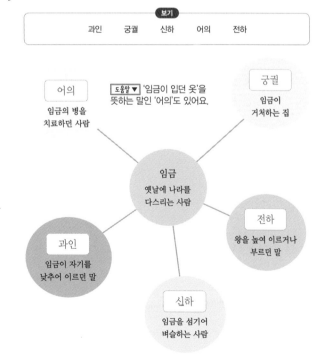

어의
임금의 병을 치료하던 사람

도움말▼ '임금이 입던 옷'을 뜻하는 말인 '어의'도 있어요.

궁궐
임금이 거처하는 집

임금
옛날에 나라를 다스리는 사람

과인
임금이 자기를 낮추어 이르던 말

신하
임금을 섬기어 벼슬하는 사람

전하
왕을 높여 이르거나 부르던 말

124

---

3 뜻이 여러 가지인 말 풀다

'풀다'는 '끈을 풀다.'와 같이 '묶인 것을 그렇지 않은 상태로 되게 하다.'라는 뜻으로 쓰이는 말이에요. 그런데 이와 같은 기본적인 뜻과는 조금 다른 의미로 사용되기도 해요.

25일
○ 월
○ 일

✏️ 밑줄 친 낱말에 알맞은 뜻을 찾아 연결하세요.

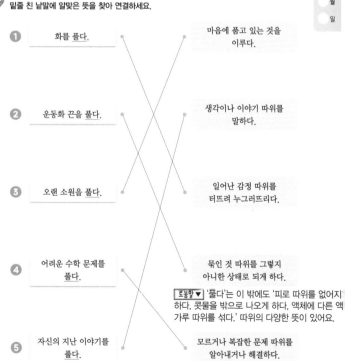

① 화를 풀다. — 일어난 감정 따위를 터뜨려 누그러뜨리다.

② 운동화 끈을 풀다. — 묶인 것 따위를 그렇지 아니한 상태로 되게 하다.

③ 오랜 소원을 풀다. — 마음에 품고 있는 것을 이루다.

④ 어려운 수학 문제를 풀다. — 모르거나 복잡한 문제 따위를 알아내거나 해결하다.

⑤ 자신의 지난 이야기를 풀다. — 생각이나 이야기 따위를 말하다.

도움말▼ '풀다'는 이 밖에도 '피로 따위를 없어지게 하다, 콧물을 밖으로 나오게 하다, 액체에 다른 액체나 가루 따위를 섞다.' 따위의 다양한 뜻이 있어요.

125

4 올바른 표현 렬/열, 률/율

글자 '렬, 률'이 'ㄴ' 받침이나 모음 뒤에 올 때에는 '열, 율'로 적어야 해요.

행렬 **선율** **비율**
'ㄴ'이외의 받침 뒤에서 / 'ㄴ' 받침 뒤에서 / 모음 뒤에서

🖉 빈칸에 알맞은 낱말을 찾아 ○표 하고, 바르게 써 보세요.

1 그해에는 [출생률] 이 높았다. ⇨ (출생률) 출생율
태어난 사람의 수가 전체 인구에 대하여 차지하는 비율

2 우리나라는 [문맹률] 이 낮다. ⇨ (문맹률) 문맹율
글을 읽거나 쓸 줄 모르는 사람의 비율

3 군인들의 [행렬] 이 지나간다. ⇨ (행렬) 행열
여럿이 줄지어 감. 또는 그런 줄

도움말▼ '이자'는 '남에게 돈을 빌려 쓰고 그 대가로 일정하게 내는 돈'을 뜻해요.

4 이 저금은 [이자율] 이 매우 높다. ⇨ 이자률 (이자율)
원금에 대한 이자의 비율

5 우리 반은 [출석률] 이 매우 높다. ⇨ (출석률) 출석율
출석하여야 할 사람 수에 대해서 실제로 출석한 사람의 비율

6 공포 영화를 보고 온몸에 [전율] 을 느꼈다. ⇨ 전률 (전율)
매우 무섭거나 두려워 몸이 떨림.

126

5 띄어쓰기 먹고살다, 먹고 살다

'생계를 유지하다.'라는 뜻의 '먹고살다'는 붙여 써야 하고, '먹다'와 '살다'의 의미가 남아 있는 경우에는 '먹고 살다'처럼 띄어 써야 해요.

그는 품팔이로 겨우 **먹고산다.**
생계를 유지한다는 의미일 때

토끼는 풀을 **먹고 산다.**
'먹다'와 '살다'의 의미일 때

도움말▲ 구분이 어려울 때에는, 음식을 먹는다는 내용이 포함되어 있는지 살펴보면 돼요. 포함되어 있다면, '먹다'의 의미가 살아 있는 것이므로, 띄어 쓰면 돼요.

🖉 밑줄 친 부분을 붙여 써야 하는 것은 ⌢, 띄어 써야 하는 것은 ∨표 하세요.

1
판다는 대나무를 먹고산다. [∨]

2
보물만 찾으면 십 년은 먹고산다. [⌢]

3
한국인은 밥을 주식으로 먹고산다. [∨]
도움말▲ '주식'은 '밥이나 빵처럼 끼니에 주가 되는 음식'을 말해요.

4
그는 노동을 하며 하루하루 먹고산다. [⌢]

127

6 두 가지 형태가 모두 쓰이는 말 자장면

그동안은 '자장면'만을 표준어로 인정했어요. 하지만 사람들이 '짜장면'이라고 쓰는 경우가 많아서 '자장면'과 '짜장면'을 모두 쓸 수 있도록 했어요.

중국집에서 [**자장면** / **짜장면**]을 먹었다.
모두 표준어로 인정함.

🖉 알맞은 표준어를 찾아 모두 ○표 하세요.

1
(예쁘다) / 이삐다 / (이쁘다)
도움말▲ '이삐다'는 전라도의 방언이므로 올바른 표현이 아니에요.

2
(자장면) / (짜장면) / 자짱면

3
태껸 / (태견) / (택견)

4
(보조개) / 볼자국 / 볼우물

도움말▲ '택견(태껸)'은 우리나라 고유의 전통 무예 가운데 하나예요.

128

7 움직임을 나타내는 말 게을리하다

누군가의 행동을 나타내는 말인 '게을리하다'는 '움직이거나 일하기를 몹시 싫어하여 제대로 하지 않다.'라는 뜻을 가진 말이에요.

동생이 숙제를 **게을리하다.**
'동생'의 행동을 나타냄.

🖉 밑줄 친 부분의 글자 순서를 바르게 고쳐 써 보세요.

1 실수로 잘못을 지르저다. ⇨ [저지르다]
죄를 짓거나 잘못이 생기게 행동하다.

2 동생의 잘못을 치깨우다. ⇨ [깨우치다]
깨달아 알게 하다.

도움말▼ '게으르다'는 '행동이 느리고 움직이거나 일하기를 싫어하다.'라는 성질이나 상태를 나타내는 말이에요.
3 귀찮아서 청소를 게하리을다. ⇨ [게을리하다]
움직이거나 일하기를 몹시 싫어하여 제대로 하지 않다.

도움말▼ '기울이다'는 '비스듬하게 한쪽이 낮아지거나 비뚤어지게 하다.'라는 의미로도 쓰여요.
4 안내 방송에 주의를 다기울이. ⇨ [기울이다]
정성이나 노력 따위를 한 곳으로 모으다.

5 언니가 좋아하는 피자도 하다마다. ⇨ [마다하다]
거절하거나 싫다고 하다.

6 기차 시간을 맞추기 위해 두서르다. ⇨ [서두르다]
일을 빠르게 해치우려고 급하게 움직이다.

129

8 잘못 쓰기 쉬운 말 보따리

'보자기에 물건을 싸서 꾸린 뭉치'는 '보따리'라고 써요. '봇따리'라고 쓰지 않도록 주의해야 해요.

✎ 다음 문장에 알맞은 낱말을 찾아 ○표 하세요.

❶ 좋은 (글구 / (글귀))를 수첩에 적어 두었다.
   글의 구나 절

> 도움말▼ '두루마기'와 비슷한 형태의 낱말 '두루마리'는 '길게 둘둘 만 물건'을 뜻하는 말이에요.

❷ 할아버지는 ((두루마기) / 두르마기)를 즐겨 입으신다.
   우리나라 고유의 옷옷

> 도움말▼ '구절'을 반복한 '구절구절'은 '구구절절'과 같은 말로 '모든 구절'이라는 의미예요.

❸ 선생님은 시의 좋은 ((구절) / 귀절)을 많이 알고 계신다.
   한 토막의 말이나 글

❹ 할머니는 집에 오시자마자 ((보따리) / 봇다리)를 풀었다.
   보자기에 물건을 싸서 꾸린 뭉치

❺ 지영이는 나랑 싸운 이후 ((며칠) / 몇일) 동안 말이 없었다.
   몇 날

❻ 흰색으로 칠한 이 울타리는 (본대 / (본디)) 무슨 색이었는지 모르겠다.
   원래, 처음부터

130

9 낱말 퀴즈

✎ 빈칸에 알맞은 낱말을 찾아 ○표 하고, 바르게 써 보세요.

❶ 훈민정음 창제 . ⇨ (창제) 최초
   전에 없던 것을 처음으로 만드는 것

❷ 그 작품은 매우 독창적 이다. ⇨ 보편적 (독창적)
   새로운 것을 처음으로 만들어 생각해 낸 것

> 도움말▲ '보편적'은 '두루 널리 미치는. 또는 그런 것'이라는 뜻을 가진 낱말이에요.

❸ 민서는 필기체 를 참 잘 쓴다. ⇨ (필기체) 인쇄체
   손으로 글씨를 써 놓은 모양

❹ 키보드로 글자를 입력 했다. ⇨ (입력) 출력
   문자나 숫자를 컴퓨터가 기억하게 하는 일

❺ 한글은 우수한 문자 체계 이다. ⇨ 통계 (체계)
   서로 연결되고 어울리도록 조직한 전체

❻ 에디슨은 전기의 원리 를 발견했다. ⇨ (원리) 원인
   기본이 되는 이치나 법칙

131

10 타교과 어휘 과학

✎ 다음 실험 도구의 이름으로 알맞은 낱말을 찾아 ○표 하세요.

❶
   원통 모양의 화학 실험용 유리그릇
   ⇨ (비커) 비이커

❷
   받침이 있는 두꺼운 유리관
   ⇨ (실린더) 실링더

❸
   액체를 붓는 데 쓰는 나팔 모양의 기구
   ⇨ 깔대기 (깔때기)

❹
   액체를 옮겨 넣을 때 쓰는 고무 주머니가 달린 유리관
   ⇨ 스포이드 (스포이트)

❺
   알코올을 연료로 하는 가열 장치
   ⇨ (알코올램프) 알콜램프

132

✎ 빈칸에 알맞은 낱말을 써서 문장을 완성해 보세요.

❶ 이 화장품은 천연 원 료 만을 사용하여 만들어졌다.
   어떤 물건을 만드는 데 바탕이 되는 재료

❷ 이 기업은 폐지를 재활용하여 재 생 화장지를 만든다.
   낡거나 못 쓰게 된 물건을 가공하여 다시 쓰게 함.

❸ 팥빙수는 다양한 재료가 섞여 있는 혼 합 물 이다.
   여러 가지가 뒤섞여서 한데 합해진 물질

❹ 나는 복숭아 알 레 르 기 가 있어 복숭아를 먹지 못한다.
   어떤 물질에 대하여 몸이 지나치게 예민하게 반응하여 생기는 탈

> 도움말▼ 기체가 액체로 바뀌는 것은 '응결'이라고 해요.

❺ 날씨가 매우 건조하여 조금 전에 널어 둔 수건의 물기가 모두 증 발 했다.
   액체가 기체로 바뀌는 것

❻ 구슬 공 예 가 들은 구슬을 사용하여 다양한 모양의 액세서리를 만든다.
   물건을 만드는 기술에 관한 재주를 가진 사람

133

10장 인물의 마음을 알아봐요

국어 교과서 274~303쪽

1 말투, 표정, 몸짓

만화나 영화 속 인물의 말투와 표정, 몸짓을 눈여겨보면 그 인물의 마음을 짐작해 볼 수 있어요. 말투와 표정, 몸짓에는 인물의 감정이 담겨 있기 때문이지요.

🖊 빈칸에 알맞은 낱말을 [보기]에서 찾아 써 보세요.

보기
과장   말투   몸짓   실감   짐작   표정

1 민주는 나의 짐작 대로 기분이 좋지 않았다.
사정이나 형편 등을 대강 알아차리는 것

2 그 영화의 전쟁 장면은 정말 실감 이 났다.
실제로 체험하는 느낌

3 그는 몸짓 만으로 자신의 생각을 표현했다.
몸을 움직이는 모양

4 이 내용은 과장 없이 내가 들은 그대로이다.
사실보다 지나치게 불려서 말하는 것
도움말▼ '말투'와 비슷한 의미의 말로 '말씨, 말본새'가 있어요.

5 형은 나에게 불만이 있는지 말투 가 거칠었다.
말을 하는 버릇이나 본새

6 수현이는 무슨 좋은 일이 있었는지 밝은 표정 을 짓고 있었다.
마음속에 품은 감정이 겉으로 드러난 모습

136

2 마음을 나타내는 말 긴장하다

'마음을 조이고 정신을 바짝 차리다.'는 뜻을 가진 '긴장하다'와 같은 낱말들은 인물의 마음 상태를 표현하는 말로 쓰여요.

학생들이 시험을 앞두고 **긴장하다**.
학생의 마음 상태를 나타냄.

🖊 빈칸에 알맞은 낱말을 [보기]에서 찾아 써 보세요.

보기
놀라다   긴장하다   당황하다   망설이다   억울하다   창피하다

1 합격자 발표를 앞두고 긴장하다 .
마음을 조이고 정신을 바짝 차리다.

2 예상하지 못한 친구의 질문에 당황하다 .
놀라거나 다급하여 어찌할 바를 모르다.

3 아무 잘못도 없이 벌을 서기가 억울하다 .
아무 잘못 없이 꾸중을 듣거나 벌을 받아 분하고 답답하다.

4 지나가는 차의 경적 소리에 깜짝 놀라다 .
뜻밖의 일이나 무서움에 가슴이 두근거리다.
도움말▼ '망설이다'와 비슷한 말로 '머뭇거리다', '미적거리다' 등이 있어요.

5 공부를 할지 컴퓨터 게임을 할지 망설이다 .
이리저리 생각만 하고 태도를 결정하지 못하다.

6 사람들 앞에서 동생하고 싸우는 것이 부끄럽고 창피하다 .
체면이 깎이는 일이나 아니꼬운 일을 당하여 부끄럽다.

137

3 대신 가리키는 말 여기, 거기

'여기'는 말하는 이에게 가까운 곳을 가리키는 말이에요. '거기'는 듣는 이에게 가까운 곳 또는 앞서 이야기한 곳을 대신 가리키는 말이지요.

여기에서 얼마나 걸려?
말하는 이에게 가까운 곳

아까 말한 **거기**까지 얼마나 걸려?
앞에서 이야기한 곳

도움말▲ '저기'는 말하는 이나 듣는 이로부터 멀리 있는 곳을 가리킬 때 쓰는 말이에요.

[1-5] 다음 대화를 참고하여 물음에 답하세요.

〈놀이터에서〉
희주: 우리 내일 헌책방 앞에서 만나는 게 어때?
혜지: ⊙거기가 ⓒ어디야?
희주: 학교 앞 사거리에서 오른쪽으로 돌면 바로 있어.
혜지: 그러지 말고 그냥 ⓒ여기에서 노는 게 어때?
희주: 그럴까? 그럼 내일 오후 2시에 여기서 만나자. 안녕.
혜지: 그래, 내일 보자. 안녕.

🖊 ⊙~ⓒ 중에서 다음 설명에 해당하는 것의 기호를 써 보세요.

1 잘 모르는 어느 곳을 대신 가리키는 말 ⇨ ⓒ

2 말하는 이에게 가까운 곳을 대신 가리키는 말 ⇨ ⓒ

3 앞에서 이미 이야기한 곳을 대신 가리키는 말 ⇨ ⊙

🖊 위의 대화에서 ⊙과 ⓒ이 가리키는 장소가 어디인지 찾아 써 보세요.

4 ⊙거기 ⇨ 헌책방

5 ⓒ여기 ⇨ 놀이터

138

4 뜻을 더하는 말 왕-

'왕-'은 낱말의 앞에 붙어 뜻을 더하는 말이에요. '크다'라는 기본적인 의미 외에 다른 의미를 더하기도 하지요.

왕거미
보다 큰 종류

왕자갈
매우 굵은

왕가뭄
매우 심한

🖊 밑줄 친 낱말에 쓰인 '왕'의 뜻으로 알맞은 것을 [보기]에서 찾아 번호를 써 보세요.

보기
① 보다 큰 종류   ② 매우 굵은   ③ 매우 심한

1 동물원에서 왕뱀을 보았다.
도움말▲ ①과 ②의 뜻이 헷갈릴 수 있어요. 하지만 일반적으로 동식물의 앞에 붙는 '왕-'은 ①의 의미로 사용돼요.
⇨ ①

2 내 동생은 정말 왕고집이다. ⇨ ③

3 이 해수욕장에는 왕모래가 많이 있다. ⇨ ②

4 왕가뭄 끝에 비가 내리니 축제 분위기이다.
'가물' = '가뭄'
⇨ ③

5 우리 동네에는 아주 오래된 왕느릅나무가 있다. ⇨ ①

6 김치를 담글 때에는 왕소금으로 배추를 절인다. ⇨ ②

139

5 줄여 쓰는 말 오랜만

'오랜만'은 '오래간만'을 줄여 쓴 말이에요. 준말을 쓰더라도 그 본말이 무엇인지는 알아 둘 필요가 있어요.

오랜만에 친구를 만났다. → **오래간만**에 친구를 만났다.
　준말　　　　　　　　　　　　　　　　본말

✏️ 다음 문장에 알맞은 낱말을 찾아 ○표 하세요.

① (이게 / 요게) 내 연필이다.
　'이것이'의 준말

［도움말▼］ '이렇다'와 바꿔 쓸 수 있는 말은 '요렇다'예요.
② 그 책의 내용은 (여렇다 / 이렇다).
　　　　　　　　'이러하다'의 준말

③ 이 시간에 (그러기 / 그렇기)도 미안하다.
　　　　'그리하기'의 준말

④ 정말 (오랜만 / 오랫만)에 영화관에 갔다.
　　　'오래간만'의 준말

⑤ 민수는 (어떡하다 / 어떻하다) 다친 거야?
　　　　'어떻게 하다'의 준말

140

6 명령을 나타내는 말 -아라, -어라

'-아라'와 '-어라'는 움직임을 나타내는 말에서 뜻을 나타내는 부분의 뒤에 붙어 명령의 뜻을 나타내는 말이에요.

잡다 → 잡아라　　　**먹다 → 먹어라**
'ㅏ', 'ㅗ'일 때 '-아라'를 씀.　　'ㅓ', 'ㅜ'일 때 '-어라'를 씀.

✏️ 밑줄 친 낱말을 명령의 뜻을 나타내는 말로 바꿔 써 보세요.

① 손을 잡다. ⇨ 손을 |잡|아|라|.

② 하늘을 보다. ⇨ 하늘을 |보|아|라|.

［도움말▼］ '듣다'에서 '듣-'은 '어라'가 붙으면서 'ㄷ'이 'ㄹ'로 바뀌어요.
③ 음악을 듣다. ⇨ 음악을 |들|어|라|.

④ 땅을 밟다. ⇨ 땅을 |밟|아|라|.

⑤ 춤을 추다. ⇨ 춤을 |추|어|라|.

⑥ 놀이터에서 놀다. ⇨ 놀이터에서 |놀|아|라|.

141

7 잘못 쓰기 쉬운 말 숟가락

'젓가락'은 'ㅅ'받침을 쓰지만 '숟가락'은 'ㄷ'받침을 써요. 받침이 헷갈리는 낱말들을 잘 익혀서 바르게 쓰도록 해요.

숟가락과 **젓가락**을 식탁 위에 놓다.
숫가락(×)　　전가락(×)

✏️ 다음 문장에 알맞은 낱말을 찾아 ○표 하세요.

① 국물을 (숟가락 / 숫가락)으로 떠먹었다.

② (젓가락 / 전가락)은 두 짝의 모양이 똑같다.

③ 할머니는 (논그릇 / 놋그릇)을 깨끗하게 닦으셨다.
　　　　　　　　　　놋쇠로 만든 그릇

④ 엄마는 바느질을 하기 위해 (반짇고리 / 반짓고리)를 꺼내셨다.
　　　　　　　　　　　　바늘, 실, 헝겊 따위의 바느질 도구를 담는 그릇

［도움말▼］ '사흘날'은 '초사흗날'이라고도 해요.
⑤ 유학을 떠난 사촌 언니는 다음 달 (사흘날 / 사흗날)에 돌아온다.
　　　　　　　　　　　　　　　　셋째 날

⑥ 동생이 밤새 아팠지만 다행히 (이튼날 / 이튿날) 아침에는 괜찮아졌다.
　　　　　　　　　　　　　　어떤 일이 있은 그 다음날

142

8 띄어쓰기 보다

'~에 비해서'라는 비교의 뜻을 나타내는 '보다'는 앞말과 붙여 써야 하고, '어떤 수준에 비하여 한층 더'라는 뜻의 '보다'는 다른 낱말과 띄어 써야 해요.

형은 **나보다** 두 살 더 많다.　　**보다** 빠르게 뛰어 볼까?
　　~에 비해서　　　　　어떤 수준에 비하여 한층 더

［도움말▲］ '보다'를 '더'로 바꾸어서 어색하지 않으면, 띄어 쓰는 것으로 기억하면 쉬워요.

✏️ 밑줄 친 부분을 붙여 써야 하는 것은 ⌒, 띄어 써야 하는 것은 ∨표 하세요.

①

⇨ 새가 보다높게 난다.
　　　　∨

②
⇨ 내가 너보다 키가 작다.
　　　　⌒

③

⇨ 영어 실력이 보다늘었다.
　　　　∨

④
⇨ 내 동생은 누구보다도 잘 먹는다.
　　　　⌒

143

9 꾸며 주는 말 순전히

'순전히'는 '순수하고 완전하게'라는 뜻으로 다른 말을 꾸며 주어요.

이번 일은 (순전히) 내 탓이다.
　　　　　　　└ 꾸며 줌.

✎ 빈칸에 알맞은 낱말을 [보기]에서 찾아 써 보세요.

보기

| 대체 | 일단 | 갑자기 | 게다가 | 순전히 | 절대로 |

❶ 　일단　 그곳에 함께 가 보자.
　　우선 먼저

❷ 　절대로　 다른 친구를 괴롭혀서는 안 된다.
　　어떠한 경우에도 반드시

❸ 수영이는 공부도 잘하고 　게다가　 운동도 잘 한다.
　　　　　　　　　　　　그러한 데다가

❹ 골목에서 　갑자기　 고양이가 튀어나와 깜짝 놀랐다.
　　　　　　미처 생각할 겨를도 없이 급히

❺ 나는 　순전히　 태권도가 재미있어서 배우는 것이다.
　　　　순수하고 완전하게

도움말▼ '도대체'는 '대체'와 같은 말이에요.

❻ 　대체　 어디에 갔다가 이렇게 늦게 들어온 것이니?
　　(궁금하여 묻는 말로) 한마디로 말해서

144

---

10 쓰임을 바꾸는 말 '-ㅁ'

'슬프다', '뛰다', '살다'와 같은 낱말에서 형태가 바뀌지 않는 부분 '슬프-', '뛰-', '살-'에 받침 'ㅁ'을 붙여서 다른 형태로 사용할 수 있어요. 이때, '살다'와 같이 'ㄹ'받침이 있는 낱말은 '삶'처럼 받침에 'ㄻ'이 있는 형태로 바꾸어야 해요.

인형을 잃어버려서 **슬프**다.
　　　　　└ 형태가 바뀌지 않는 부분

그는 **슬픔**에도 불구하고 티를 내지 않았다.
　　　　└ 받침 'ㅁ'이 붙음.

✎ 밑줄 친 낱말의 형태가 알맞게 바뀐 것을 찾아 ○표 하세요.

❶ 운동장을 뛰다. ⇨ (뜀) 뚬

❷ 그 내용을 알다. ⇨ 암 (앎)

❸ 밤새 꿈을 꾸다. ⇨ (꿈) 꿂

❹ 신나게 춤을 추다. ⇨ (춤) 춺

❺ 친구랑 재밌게 놀다. ⇨ 놈 (놂)

❻ 이 음식은 정말 달다. ⇨ 담 (닮)

❼ 동생이 곤히 잠을 자다. ⇨ (잠) 잚

145

---

11 (타교과 어휘) 도덕

✎ 빈칸에 알맞은 낱말을 써서 문장을 완성해 보세요.

❶ 우리 선생님은 지 성 이 뛰어난 분이시다.
　　　　　　사물에 대해 바르게 판단하고 이해하는 능력

❷ 학교에서 선생님을 만나면 공 수 인사를 드린다.
　　　　절을 하거나 웃어른을 모실 때 두 손을 앞으로 모아 포개어 잡음.

❸ 나는 오랜만에 뵌 할머니께 큰 절 을 올렸다.
　　　　　　　　앉으면서 허리를 굽혀 공손하게 하는 절

도움말▼ '내면적'은 '겉으로 드러나지 아니하는 정식적인. 또는 그런 것'을 뜻하는 말로 '외면적'과 반대의 뜻을 가진 말이에요.

❹ 외 면 적 인 모습만 보고 사람을 판단해서는 안 된다.
　　겉으로 나타난 모양에만 관계된. 또는 그런 것

❺ 수민이는 성격이 좋아서 많은 사람들에게 호 감 을 산다.
　　　　　　　　　　　　　　　좋게 여기는 감정

❻ 항상 바르고 차분하게 행동하는 그는 교 양 이 있는 사람이다.
　　　　　　　　　　　　　학문, 지식, 사회생활을 바탕으로 이루어지는 품위

146

✎ 밑줄 친 낱말에 알맞은 뜻을 찾아 연결하세요.

❶ 그의 목소리는 조용하고 침착하다.　●　　　　●　열기를 품다.

❷ 경기를 앞둔 친구에게 용기를 북돋우다.　●　　　　●　행동이 들뜨지 아니하고 차분하다.

❸ 강당으로 아이들이 하나 둘씩 모여들다.　●　　　　●　여럿이 어떤 범위 안을 향하여 오다.

❹ 국어 시간에 한 토론이 매우 열띠다.　●　　　　●　기운이나 정신 따위를 더욱 높여 주다.

도움말▲ '열띠다'와 비슷하게 생긴 '열뜨다'는 '마음이 안정되지 못하여 주변 일에 우왕좌왕하다'라는 뜻이에요.

❺ 학교 친구들과 여러모로 잘 어울리다.　●　　　　●　사람의 의지, 태도나 마음가짐 따위가 매우 굳세다.

❻ 준서는 아무리 힘든 일이 있어도 꿋꿋하다.　●　　　　●　함께 사귀어 잘 지내거나 분위기에 같이 휩싸이다.

147

MEMO

[숨마 어린이®]는

중고교 상위권 선호도 1위 브랜드 **숨마쿰라우데®**가 만든
초등학생들을 위한 혁신적인 **초등 브랜드**입니다 !

초등국어 **어휘왕** 시리즈 (초3 ~ 초6 학기별 총 8권)

"초등국어 어휘왕"은
많은 교사와 학부모들이 적극 추천하는 교재입니다.

'초등국어 어휘왕'은 학교 수업과 병행하여 학습할 수 있다는 장점이 있습니다. 기본적인 문법 개념, 맞춤법, 띄어쓰기 까지 모두 담고 있어, 교재를 한번 꼼꼼히 공부하고 나면 어휘력 향상에 많은 도움이 됩니다. 대명초 **정지원** 선생님

교과 어휘의 중요성은 거듭 강조해도 지나치지 않습니다. 교과서에 수록된 어휘들을 단원별로 잘 정리하여 재미있게 학습할 수 있도록 한 교재가 바로 '초등국어 어휘왕'입니다. 초등국어 어휘왕을 구준히 공부하면 학습의 기틀을 확실 하게 마련할 수 있습니다. 수내초 **우정민** 선생님

학교 현장에는 교과서에 나온 어휘를 제대로 이해하지 못해 교과 학습에 어려움을 겪는 학생들이 많습니다. 학생들이 '초등국어 어휘왕'을 통해 단원별 주요 어휘들을 예습·복습하는 것만으로도 학교 수업을 이해하는 데 많은 도움이 될 것입니다. 세륜초 **김민하** 선생님

쉬운 설명과 예문으로 어휘의 기본 개념을 설명해 주니 아이가 쉽게 이해하네요. 역시 어휘 학습은 암기보다는 예문을 통해 공부하는 것이 효과적이라는 생각이 듭니다. 초등맘 블로거 **제이드림**님

'초등국어 독해왕 시리즈'로 학습을 마친 우리 둘째 아이는 글을 읽는 데 자신감이 생겼다고 말해요. '초등국어 어휘왕' 으로 공부해서 어휘력에도 자신감을 갖게 되기를 기대해 봅니다. 초등맘 블로거 **오렌지자몽**님

'초등국어 어휘왕'은 국어 교과 단원과 연계되어 있어 교과서와 함께 학습하면 좋은 교재예요. '초등국어 어휘왕'으로 미리 예습을 하면 학교 수업을 더 잘 이해할 수 있겠어요. 초등맘 블로거 **마미브라운베어**님

어휘력은 어휘의 의미를 확인하고 실제 활용을 해 봐야 는다고 생각해요. '초등국어 어휘왕'은 교과서 어휘를 중심으 로 우리가 생활에서 많이 활용하는 어휘들을 재미있는 문제 풀이를 통해 익힐 수 있어서 부담스럽지 않게 학습할 수 있는 교재랍니다. 초등맘 블로거 **소안맘**님

이룸이앤비로 통하는 **HOT LINE**

CALL FAX INTERNET E-MAIL
02) 424 - 2410 070) 4275 - 5512 www.erumenb.com webmaster@erumenb.com

이룸이앤비의 특별한 중등 국어교재 시리즈

숨마 주니어® 중학국어 **어휘력** 시리즈

중학교 국어 실력을 완성시키는 **국어 어휘 기본서** (전3권)

– 중학국어 **어휘력** ❶
– 중학국어 **어휘력** ❷
– 중학국어 **어휘력** ❸

숨마 주니어® 중학국어 **비문학 독해 연습** 시리즈

모든 공부의 기본! 글 읽기 능력을 향상시키는
국어 비문학 독해 기본서 (전3권)

– 중학국어 **비문학 독해 연습** ❶
– 중학국어 **비문학 독해 연습** ❷
– 중학국어 **비문학 독해 연습** ❸

숨마 주니어® 중학국어 **문법 연습** 시리즈

중학국어 **주요 교과서 종합**!
중학생이 꼭 알아야 할 **필수 문법서** (전2권)

– 중학국어 **문법 연습 1** 기본
– 중학국어 **문법 연습 2** 심화